角川春樹事務所

目次

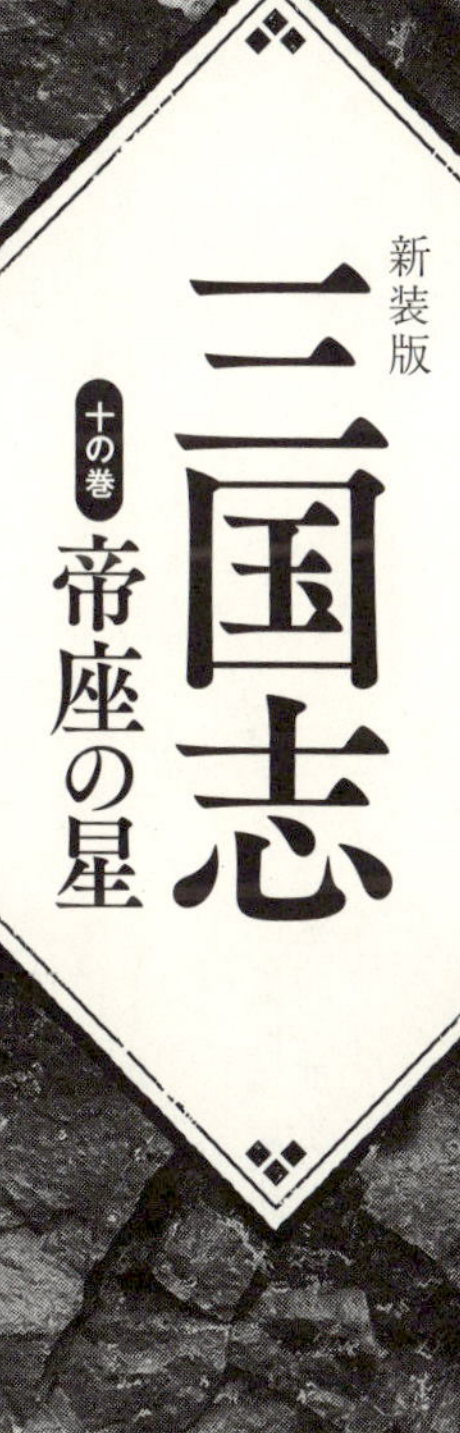
新装版
三国志
十の巻
帝座の星

*編集注　本文中の距離に関する記述は、中国史における単位に従い、一里を約四〇〇メートルとしています。

烈火

1

谺。けものの咆哮。

張飛は、岩山のはなにひとりで立っていた。谺は、一度だけだった。それ以上の声は、張飛の躰のどこからも出てこなかった。涙も、溢れてはいない。

兄だった男が、死んだ。

乱世では、めずらしいことではない。三十年以上も、戦場で生きてきた。死は、いつも古い友のようにそばにいた。よく生き、よく闘ってきたのだ。死は休息であり、安らぎでもある。

ともに闘えなかった。同じ戦場に立っていなかった。心に残るとすれば、それがあるだけだ。しかし、昔のように数千の流浪の軍というわけではない。それぞれが将軍として、一軍を率いていたのだ。同じ戦場にいなかったのは、ただの巡り合わせだろう。

いい兄だった。張飛は、そう思った。出会っていなければ、とうの昔に自分はつまらぬ死に方をしていたはずだ。あの兄がいたから、人であり得たという気もする。死が別れではない。張飛は、自分にそう言い聞かせた。一度兄弟となった男との、別れなどはない。関羽が、先に死んだというだけのことだ。自分も、そして長兄としてきた劉備も、いずれ死ぬ。

張飛は、招揺に跨ると、岩山を駈け降りた。岩山から十里（約四キロ）ほどのところに、張飛軍の陣はある。

「陳礼、南鄭の軍議に行くぞ。供は二十名でよい」

関羽の死が知らされてからも、張飛はいつでも出動できる態勢は崩さなかった。最初にやったのは、消沈している兵たちを叱咤することだ。このまま、雍州に攻めこめるとは思っていない。しかし、その気になれば出動できる。それが軍のありようなのだ。

二十名の供は、すぐに揃った。

第一軍の騎馬隊一千を任せている関興のことが気になったが、あえて声はかけなかった。自分が兄の死を受けとめているように、関興は父の死をひとりで受けとめるしかないのだ。いずれ、ゆっくりと語り合える時はあるだろう。

南鄭まで、ひと駈けだった。

定軍山から狼煙があがった時、出動する手筈になっていた。張飛の軍は斜谷道を行き、趙雲は箕谷道を進む。それも決まっていたが、いまはもうむなしい。肝心の荊州北部に、蜀軍はいないのだ。

南鄭の本営には、すでに部将のほとんどは集まっていた。

「おまえが到着するのを待っていた。孔明殿が、営舎の居室から出てこようとしない」

趙雲がそばへ来て言った。

「なぜ？」

「気持はわかってやれ。自分が立てた作戦が潰え、関羽殿が死んだのだ」

呉軍の裏切りにより、関羽が死んだという知らせが入ったのは、きのうだった。

張飛が本営へ駈けつけた時、孔明は蒼白な表情こそしていたものの、落ち着いていた。なお調べる必要があると言い、今日の軍議を指定したのだった。

「孔明殿が居室に籠りきりでは、なにもはじまるまい」

「それはそうなのだが、すでに雍州進攻は無理だという情勢になっている」

「漢中には、蜀軍の主力が集結しているのだぞ。今後どうするかは、孔明殿が決めるしかないのだ。俺が行って、話してこよう」

劉備は、三万を率いて漢中にむかっていたが、関羽の死を知り、成都に引き返したという。漢中の蜀軍の配置を決めるのは、孔明の仕事になっている。

張飛は、営舎の奥の孔明の居室に入っていった。

孔明は、床に座りこみ、じっと眼を閉じていた。まるで彫像のようなものだ。思い悩んでいるのではなく、ただ自分を責めている。張飛には、そう見えた。

「諸将が集まっている。軍議をはじめたいのだが、孔明殿」

孔明が、眼を開き、ゆっくりと天井を見あげた。

「軍議で、私の処断を決定していただけますか、張飛殿。荊州のことは、私の見通しの甘さのために、起きたことです」

「そうかな。そう思われるなら、軍議で言えばいいことだろう。処断についても、そう提案されればいい」

「張飛殿の言われることが、大きいと思います。ですから、張飛殿に切り出していただきたいのです。私の罪は、万死に値すると」

「ごめんだな、俺は」

「ならば、自裁いたします」

「それにも、意味がない。小兄貴は、確かに蜀の柱であった。しかし、一部将でもあった。有力な一部将が、戦で死んだ。ただそういうことではないか」

「張飛殿は、本気でそう考えておられますか？」

「俺には、いろいろと思いはある。それを語ったらきりがないほどに。しかし、それを抑えて大きな眼で見れば、一部将が死んだということではないか」

「割り切れるのですか、そんなふうに？」

「いまは、割り切るしかないと思う。俺は、そうすることにしたのだ。嘆くのはいつでもできる。いましかできないことが、あるはずだろう」

関羽の死が、孔明に与えた衝撃の大きさは、張飛にも想像できた。蜀としての戦略が、根本から崩れた。それは、自分の存在がなにかと、孔明に考えさせるほどのものだったに違いない。

「戦略を誤った軍師に、なにか言う資格があると、張飛殿は思われるのか？」

「誤ったのではない。戦略は正しかった、と俺はいまも思っている。ただ、破れたのだ。その時は、また戦略を立て直せばよかろう。俺たちは、ただ闘う。全力で闘う。道は、軍師が考えてくれると思っている。負けた時の道もだ」

孔明が、張飛を見つめてきた。

「とにかく、殿は成都に戻られた。あとは、孔明殿がなんとかする、と考えられたのであろう」

雍州進攻は無理と判断して、劉備が成都に戻ったのかどうかはわからなかった。気落ちして戻ったことも、充分に考えられる。

「今度の戦で、蜀は漢中を奪ったが、荊州は失った。そう考えようではないか、孔明殿。赤壁の戦以後、俺たちは運に恵まれた。無論、全力で闘いもした。小兄貴の戦死は、運がちょっと横をむいたということなのだ。こういう時こそ、軍師の働きどころではないか」

「私は、蜀の将軍たちを、過酷な戦に駆り立てました。何年もの間、関羽殿をつらい立場にも立たせました。こうなったいまでも、将軍たちは私の指示に従う、と言われるのですか？」

「孔明殿の戦略に、疑問を持っていた者は、誰もいない。俺に言えるのは、それだけだ。すべてが潰えたと思われるなら、隆中に帰られるがよかろう。晴耕雨読の日々も、人生ではある。負けから立ちあがる方が、男らしい人生だと俺は思っているが」

孔明は、まだ張飛を見つめていた。冷静に見えるが、激しいところもある。だから、一度の負けで自裁などという言葉も出てくるのだろう。

「将軍たちは、全員が孔明殿の指示を待っている。このまま雍州に攻めこめと言われれば行くし、軍を返して呉を討てと言われたら、そうする。矛を収め、成都に戻れと指示されたら、それにも従う。潰えはしたが、孔明殿の戦略に誤りがあったとは誰も思っていないからだ。これ以上は、言うまい。俺も、待っている。軍議をはじめてくれ」

それだけ言い、張飛は孔明の居室を出た。

将軍たちは、ほぼ全員が揃っていた。馬超だけはいないが、代りに馬岱が出てきている。馬超軍を、いま実質的に指揮しているのは、馬岱だと考えてもいい。

眼を閉じ、腕を組んでいる趙雲のそばに、張飛は黙って腰を降ろした。

それほど待つこともなく、孔明が出てきた。相変らず蒼白な顔だが、眼にはしっかりした意志の光があった。

「荊州で、関羽将軍が死去された。したがって、戦略は第一歩から見直さざるを得ない。戦略の破綻は、すべて私の責任である。この件に関しては、成都で殿の御裁断を仰ごうと思う。とりあえずいまは、私はまだ軍師である。軍師としての責務で、改めて蜀軍の配置を決め直させていただく」

孔明は言葉を切り、一座を見回した。

趙雲が、かすかに頷いている気配があった。発言する者は、誰もいない。

「この漢中は、守らなければならない。守備は二万。魏延将軍が指揮。厳顔将軍がそれを補佐する。白水関に、馬超軍の一万。その三万が、益州北部の守備の要となる。あとは、全軍が成都へ帰還。荊州から逃れてくる兵もいる。それを加えて、新たに蜀軍を編成し直す。成都への帰還は、張飛将軍が第一陣」

それだけ言うと、孔明は腰をあげた。

「思ったより、軍師殿は元気ではないか」

軍議が散会すると、趙雲がそばへ来て言った。関羽の名は、お互いに出さなかった。大きなものが、欠けた。その意識は消しようがない。しかし、いまは言葉でそれを語る時でもなかった。

孔明は、最後まで漢中に残るつもりのようだった。さまざまな工作の後始末をし、民政も整えておかなければならないのだろう。

張飛は陣へ戻り、翌早朝の成都への帰還を全軍に伝えた。涙を流している者もいる。

　関興を幕舎に呼んだのは、深夜だった。

「かけろ、関興。将軍と校尉（将校）ではなく、叔父と甥として語りたい。酒も、用意してある。まず、飲もう」

　頷き、関興が張飛の杯に酒を注いだ。

　口もとのあたりが、関羽に似ている。全身の骨格はそっくりだった。なぜか、髭を蓄えようとはしていない。趙雲の下で校尉をしている、長男の張苞は、張飛と同じような虎髭を蓄えていた。

「人は、死ぬものなのだな、関興。長く戦陣で生きてきたが、決して死なぬ人間がいる、と俺は思っていたような気がする。大兄貴と小兄貴。この二人は、死ぬわけがないのだと勝手に決めていた」

「私は、ただ口惜しいのです、叔父上。まともな戦で父が死んだのならともかく、孫権の裏切りなのですから。父も、死んでも死にきれなかったと思います」

「飲め、関興。成都へ戻れば、詳しいこともわかるだろう。大兄貴がなんと言おうと、俺はいつか小兄貴の仇は討つ。ただ、いまは俺たちが落ち着いていなければならん。粛々と成都へ戻るのだ」

「わかっております。叔父上が孫権を討たれる時は、私を先鋒のひとりとして使ってください。一兵卒としてであろうと、私は闘いたいと思います」

張飛は、杯を呷った。

孫権は、同盟者として信用はできない。しかし、孫権と組むことなしに、曹操に対抗して蜀は生き延びていけるのか。

一気に、荊州だけでなく揚州まで制圧し、孫権の首も取り、曹操と並ぶ力を持つ。それが可能な方法はないだろうか。自分と趙雲に、それぞれ五万の兵があれば、それはできるかもしれない。孫権が奪ったというものの、荊州には長い歳月の劉備軍の伝統が残っているのだ。

「死ぬ日は同じだ、と兄弟三人で誓い合ったことがある。もう三十年以上も昔のことだ。俺たちは寝食をともにし、ともに闘った。別々の場所にいることなど、信じられなかった。小兄貴だけが、荊州に残った。これだけ軍が大きくなれば、仕方がないとも言えるが、同じ戦場にいなかったことが、俺にはやはり心残りだ」

関興は、ただうつむいていた。張飛が促すと、ようやく関興は杯を呷った。

「俺は、大兄貴に頼んで、孫権討伐の軍を組織する。孔明殿も、説得できる自信はある。遠くない日に、俺は小兄貴が死んだ土地を、孫権から取り戻す」

「私も、その軍に加えていただけますね」

「加える。だから、いまは静かに待て。部下の調練を怠るな。父の死を嘆く前に、躰を動かせ」

「わかりました。思いは心に秘めておきます」

「さすが、関羽雲長の弟と言われたい。おまえも、関羽雲長の息子なのだ」

「父の名は、汚しません」

幕舎の中で、明りが揺れている。外では、風が出てきたようだ。早朝の出発に備えているのか、兵は寝静まってはいなかった。

「しかし殿は、孫権討伐軍の組織を、お許しになるでしょうか？」

「おまえが、そんな心配をすることはない。自分の部下にだけ、眼を注いでいろ」

張飛が言うと、関興は頭を下げた。

孫権討伐軍の組織を、劉備は必ずやる。孔明が反対しようと、ほかの将軍たちが止めようと、絶対にやるはずだ。それが、張飛だけにはわかった。戦略とか、外交とかいう問題ではない。自分が殺されたのと、同じことなのだ。

自分の命を取り戻す戦。それが、対孫権戦だった。劉備と張飛にとっては、そうだ。

「おまえは、蜀の次の世代を担う将軍にならなければならん。俺や趙雲はもとより、小兄貴にさえ劣った将軍であってはならんのだ。戦場での死に、心を動かすな。それが、たとえ父の死であろうとだ。わかるな、関興」

「はい」

「明日、おまえが先頭で進発する。胸を張れ。遠くの敵を見据えて、気力を落とすな」

それから張飛は、若いころの話をちょっとした。自分が関興や張苞の歳ごろに、なにをしていたのか。どんな闘いをしたか。関羽が当然一緒だったが、名は出さなかった。

2

なにが起きたのか、次第に明らかになってきた。

客観的に見れば、曹操のかけた離間の計が、見事に決まったということだ。

劉備は、成都の館の居室で、ひとりで考えこむことが多かった。漢中に集結した軍の大半は、すでに成都に戻っている。孔明も、殿軍とともに雒城に達していて、明日は戻ってくるはずだった。

孫権が裏切り、荊州に兵を出してくるというのは、最悪のこととして孔明の想定の中には入っていた。その場合に備えて、江陵、公安に一万五千の守兵は残し、ひと月やふた月は城に籠って耐えられるようにしていた。同時に、白帝に王平の率いる部隊を置き、攻囲軍を側面から牽制する態勢も取っていた。

樊城は、明らかに落ちかかっていた。上庸、房陵の孟達軍が支援すればたやすく落ちただろうし、それがなくてもあと十日で落ちたはずだった。樊城さえ落とせば、関羽の軍は十万以上に脹れあがり、宛城の徐晃などひと揉みにしただろう。曹操は洛陽、許都を結ぶ線を防衛線とせざるを得ず、漢中に集結した軍が長安を奪るのはたやすかった。

そうなっていれば、たとえ呉軍が江陵、公安を囲んでいても、兵を退くしかなかったはずだ。

江陵、公安が無抵抗で開城したのは、信じられない誤算だった。白帝の王平が、側面攻撃をする余裕もなかったのだ。上庸、房陵を奪らせた孟達が、言を左右してそれ以上動かなかったのが、第二の誤算である。

孔明は、あらゆる想定をして、そのすべてに備えていたが、自軍の裏切りはそれに入っていなかった。そこまで想定すると、戦は不可能なのである。

裏切られたのは、関羽でもなければ、孔明でもない。この自分自身なのだ、と劉備は思った。長く戦陣にあっても、自軍から裏切り者を出した経験が、劉備にはほとんどなかった。負け戦が多かったが、散り散りになった兵も、やがてはまた集まってきた。

六千ほどの、小さな軍だったからなのか。それがいきなり、十万を超える軍に脹れあがったから、裏切る者も出るようになったということなのか。理由としては、そんなことを並べられる。しかし、理由を並べてみることに、意味はなかった。

従者が入ってきて、張飛の来訪を告げた。

張飛は最初に帰還してきて劉備と会い、ひと晩語り合った。それから軍を成都の南二十里（約八キロ）ほどのところに移し、そこに駐屯していた。全軍が戻ってくると、成都城内には入りきれないのだ。

「この間のことは、考えていただけましたか、大兄貴。明日は、孔明殿も帰還することになっているそうですな。たとえ孔明殿が反対しようと、俺はこれだけはやり通しますぞ」

入ってくるなり、張飛はいきなり言った。

「許す、と言いたいところだがな、張飛」

張飛が申し入れてきたのは、孫権討伐軍の編成だった。関羽の死を悔む言葉は発せず、燃えるような眼光で、孫権を討たせてくれと最初に言ったのだった。

関羽がいなくなった。それは悔むようなことではない。自分の躰の一部が、理不尽に捥ぎ取られたようなものだった。そして誇りさえも、同時に捥ぎ取られた。孫権を討つことでしか、それは取り返せない。

「おまえに、すべてを任せるというわけにはいかん」

「大兄貴の言葉とも思えぬ。俺でなく、ほかに誰がいるのです？」

「忘れているな、おまえは。関羽がいなくなって、見えるものも見えなくなったか」

「大兄貴」

「張飛、私たち兄弟は、何人だった？」

「それは、三人ですが」

「おまえの言い草は、二人きりの兄弟としか聞えぬ。それが、私は気に入らん」

「それは、大兄貴は長兄であります。そして、蜀の主でもある」

「蜀の主である前に、関羽の兄だ。兄弟三人で、この乱世を生き抜いてきた。弟が死んで、私に座して耐えよと言うか」

「しかし、大兄貴」

「黙れ、張飛。孫権を討つのは、私とおまえだ。おまえだけの仕事ではない。私のやるべきことでもあるのだ。おまえはいまの二万の軍に、荊州から逃げてきている関羽軍の兵を加え、三万の軍を組織せよ。騎馬隊は一万。鍛えに鍛えろ。私は麾下を四万に増やす。合わせて七万。それで、孫権を討つ」

「しかし、大兄貴は」

「黙れと言ったはずだ、張飛。おまえの兄の関羽は、私の弟だ。しかも荊州にひとり置き去りにした」

張飛は、じっと劉備を見つめていた。大きな眼から涙がこぼれそうになり、張飛はそれを袖で乱暴に拭った。

「俺は陣へ戻ります、大兄貴。確かに、荊州から逃げてきている兵がいます。俺が鍛えていた兵も、少なくありません。年が明けるまでに三万の軍勢を編成して、十万の軍とも闘えるように鍛え直します」

「それでいい、張飛。私とおまえの気持を、孔明だけはわかってくれそうな気がする。だから、孔明のことは気にするな」

「わかりました」

張飛は、にやりと笑い、頭を下げた。

ひとりになると、劉備はまた考えこんだ。いままでの闘いは、なんだったのか。男の人生とは、どういうものなのか。なにも、わかりはしなかった。生きて、闘う。それがすべてだと思った。関羽は、それをやり遂げて死んだ。

生き残った自分は、これから関羽に試されることになる。おまえは、ほんとうに生きているのか。おまえは、男としてなにも恥じないか。

自分は生きている。涿県を出た時から、なにも変ってはいない。関羽がいれば、耳もとでそう言いたかった。だからこそ、孫権を討つ。でなければ、おまえと兄弟だなどとは言えはしまい。

関羽は死んだ。死んだからこそ、言葉など無意味なものになった。

いまはただ、孫権を討つだけのことだ。

蜀を、どういう国に作りあげていくか。今後、曹操とどう闘っていくか。それらのすべても、孫権を討ったあとの話だった。

陽が落ちかかっていた。どんよりした、成都の夕暮である。空が血の色に染まることなど、益州では滅多になかった。

馬良が、兵糧の状態の報告に来た。

明日孔明が戻ってくれば、すぐに軍議である。漢中から戻ってきた兵の配置を、決めなければならない。それに伴って、兵糧も分散させるのである。

「漢中を奪りましたので、蜀全体で十五万の軍が適正かと思えます。すぐにやるのではなく、少なくとも一年はかけて、じっくりやるべきでありましょう。荊州から逃げてくる兵がどれほどかも、見定めなければなりません」

「十五万か」

荊州があれば、二十万を軽く超えた。雍州と涼州を奪れば、三十数万だった。いまさら思い返しても、どうにもならないことだ。

「しかし、殿。益州は巴蜀の地のみではありません。南に、実に広く拡がっております。民こそ少なくても、巴蜀の数倍の広さはあり、物産も豊かです。わが国は、まだそこには手をつけておりません。多少の進物はあるようですが、税という制度も及んでおりません。その地をしっかり治めれば、二十万を超える兵を養うのも不可能ではありません」

「南か」

「北への進攻をやめたいまこそ、南に眼を注いでおくべきだろう、と私は思うのですが。これは、孔明殿にも申しあげるつもりです」

地図を見るかぎり、南は広大だが、山が多かった。その分、物産もあるのかもしれない。民の数は、はっきりとはわからないが、少ないと言われていた。

「道の整備です。それから、民政を整えることです。やり甲斐はあります。私は、それを志願したいと思っているのですが」

「まあ、待て、馬良。南に手をつけなければならないことは、孔明もわかっていよう。いつやるかは、ほかのこともすべて考え合わせてからだ」

「はい、それはもう。弟の馬謖を通して、孔明殿には南に御留意あるよう、かねてから伝えてあります」

馬良が退出すると、劉備はひとりで剣の手入れをはじめた。二本重ねの、重い剣である。涿県を出る時から、これを佩いていた。洪紀の義父に当たる鍛冶屋が、心をこめて鍛えてくれたものだった。柄の修理は何度かしたが、剣そのものはまったく傷んでいない。時折研いでさえやれば、斬れ味はむしろ鋭くなっていると感じられた。

その鍛冶屋で、関羽は青竜偃月刀を、張飛は蛇矛を作って貰ったのだった。

若いころから、剣の手入れは従者に任せたことがない。手入れをしながら、剣に自分の姿を映していた。それが、習慣のようになっていた。時には、ひと晩手入れを続けていたこともある。

横になったのは、深夜だった。このところ、夜が長かった。眠れないことが多いのだ。ようやく眠っても、夢ばかり見た。他愛ない夢が多い。決して、戦の夢など見たりはしないのだ。

畠を耕している夢を、よく見た。野菜を作っているのだが、植えたものとは違うものが実る。なぜだと考えるところで、いつも眼が醒めた。夢に意味などない。少なくとも、劉備はいつも自分にそう言い聞かせた。

朝になると、各将が城内外から集まってきた。

やがて、孔明も戻ってきた。

武官だけでなく、文官も揃った軍議である。

孔明が、淡々と関羽の死に到るまでの、状況の説明をはじめた。誰もが、沈痛な面持ちをしている。関羽の死と、荊州の喪失は、性急に雍州を奪ろうとした、自分の戦略の誤りであった、と孔明は最後に言った。

「撤退は、戦略の誤りではない。自軍から、裏切りが出たためだ。孟達の裏切りがなければ、もっと早く樊城を抜いていただろうし、麋芳と士仁の裏切りがなければ、雍州を奪ってから孫権を追い出すこともたやすかった」

張飛が、そう言った。

苦しくとも、ここで雍州を奪っておけば。孔明のその戦略は、誰もが理解していたことだった。そして、裏切りさえなければ、間違いなく成功していた。まだ強大である曹操との差を、一気に詰める唯一の機会だったのだ。孔明だからこそ、見出し得た機会でもあった。

「戦略全体に、裏切りを生む素地があったということです。荊州に配置した人の層が薄かったのです。そのため、すべての負担が関羽将軍の肩にかかってしまいました。それは、軍師である私の責任です」

「すべてが、孫権の裏切りなのだ。曹操にたらしこまれた孫権の強欲が、麋芳、士仁の裏切りを呼んだ。誰の責任でもない、と俺は思うがな、孔明殿」

「失敗の責任は、誰かが取らなければなりません、張飛将軍」

座が、さらに暗くなった。

誰の責任でもない。張飛が言う通りだ、と劉備も思っていた。孔明は、戦略が性急だったことにすべてを結びつけようとしているが、あの戦略はもともと性急さを武器としたものだった。曹操が構え直さないうちにというのが、絶対の条件だったのだ。

　不意に、座が乱れた。

後手に縄をかけられた糜竺が、飛びこんできたのだ。糜竺は、眼に狂気を浮かべ、どす黒い顔をしていた。

「首を刎ねていただきたい」

「なにをしている、糜竺。誰が、おまえに縄を打ったりしたのだ？」

「私が、私自身を縛りました。北進の失敗は、すべて弟糜芳の裏切りのせいです。恥じても恥じきれません。兄である私の首で済むとは思っておりませんが、死を願う以外に方法はないのです」

　沈んだ、低い、声だった。眼は見開かれ、じっと劉備にむいている。

「馬鹿な真似はやめよ、糜竺。誰か、縄を解いてやれ」

「殿が曹操と並ばれる、千載一遇の機会でありました。それを糜芳ごとき腑抜けが、ぶち毀してしまいました。ここにいれば、八ツ裂きにしてやるところです。代りに、私の首を刎ねてください。これは、お願いであります。殿、どうかこの首を」

「おまえは、蜀にとって必要なのだ。馬鹿な真似はやめて、気を落ち着けろ。誰か縄を解け。そして、館に送ってやれ。麋竺、おまえが落ち着いたら、ゆっくり話そう」

「殿、私の死で済むことではないのはわかっています。しかし、生きてはいられません。生きている一刻一刻が、私にとっては恥辱です。慈悲をもって、私の首を刎ねてください」

数人が、麋竺の躰にとりつき、縄を解いた。膝を折って動こうとしない麋竺が、両脇から抱えあげられた。

「恥辱に殺されたくありません、殿。この首を、刎ねてください」

麋竺の声は、相変らず低く、押し殺したようだった。連れ出される間、麋竺は、殿、と低く言い続けていた。

麋竺の姿が消えると、座はしんとして、身動ぎの気配さえ伝わってこなかった。それほど、麋竺の表情は異様だった。

「誰が、誰を罰するというのだ」

劉備は、静かに口を開いた。

「こういう時に、誰が誰を罰せられる。軍令違反があったわけではない。裏切った者たちを除いて、みんなが懸命だった。自分を罰せよと言うのは、考えようによっては傲慢ではないのか、孔明。ひとりひとりが、苦しんでいる。いまの糜竺を見よ。あれほどの功績をあげている糜竺が、首を刎ねてくれと言っているのだ。それだけでも、悲しむべきことだと思わぬか」

「殿の言われる通りだ。裏切り者ども以外に、罪という言葉を被せられる者はひとりもいない、と俺は思う」

張飛が言った。そう思う、と趙雲が言うのも聞えた。

「今回の件に関しては、誰も罰せぬ。これは、私の決定だ。したがって、孔明は軍師としての職務を、諸将は将軍としての任を、いままで通り果すように。試みが潰えた時こそ、われらは一体でいるべきなのだ。私の眼から見て、今度のことで責めを負わなければならぬ者は、ここにはひとりもいない。そして、蜀においては、私の眼がすべてだ」

孔明は、うつむいたまま劉備が言うことを聞いていた。ほとんど孔明にむかってだけ、劉備は言葉を発していると言ってよかった。

「とにかく、漢中も含めて、蜀という国を整備せよ。ただちにやるのだ。その指揮は、孔明が当たれ。各地に、兵を配置する。それはすべて趙雲にやって貰う。張飛は遊軍として三万の兵を鍛えよ。成都には、私の麾下として四万を置く」

なにか言おうとした孔明を、劉備は眼で制した。

「ここで、曹操につけこまれることはできぬ。だから、成都近辺に大軍を置いておく。私も張飛も、荊州から逃れてきた兵を集めて、加えることにする。現有の兵力から割くのは、五万だけだ」

「私は、どこに？」

趙雲が言った。ようやく、軍議らしい話になってきた。

「各地に兵を配し終えたら、江州（重慶）にいよ。漢中には、魏延がいる」

「孔明殿の補佐は、私が」

馬良が言う。孔明は、相変らずうつむいたままだった。

3

呂蒙が病で死んだ、という報が入ったのは、暮近くになってからだった。

病というのは、嘘ではなかったのだ、と孔明は思った。自らの病まで、呂蒙は利用して、荊州を奪ろうとしていたのだ。

それに対する自分の戦略は、やはりどこか甘かったと言わざるを得ない。

出直しのつもりで、孔明は蜀の民政に力を注いだ。いまは、腰を据えて国力をつける時だ。余計なことは、なにも考えない方がいい。

気になるのは、劉備と張飛の動きだった。成都近辺で、激烈な調練をはじめている。ただの調練とは思えなかった。毎日、十人、二十人と死者も出ているようだ。

関羽の下にいた兵たちが荊州から逃れてきて、張飛の軍はすでに三万に達した。騎馬も一万で、きわめて機動力に富んだ部隊である。劉備の麾下も、いずれ四万に達するだろう。蜀で最も精強な部隊を、劉備と張飛が率いていて、それをさらに磨きあげようとしているようだった。

特に、張飛の調練ぶりは、尋常ではないという。

蜀では、黄忠が、病のために死んだ。漢中では大活躍をしたが、すでに老齢だったのだ。代りに馬謖を将軍に昇格させ、二千の部隊を与えた。

成都の館に、孔明はいることが多かった。ほとんどそこが役所のようになり、陳倫は下女ひとりと、奥の小さな家に住むようになった。夜中まで、孔明のところには仕事が持ちこまれる。

「眠る時間が、少なすぎますわ、あなた。そんなふうでは、頭も働きません」

陳倫は、民政に打ちこむ孔明の姿が、気になるようだった。

「私は、死をかけて、いま建国のための仕事をしている。馬良も同じだ。あと一年は、こういう状態が続く」

「一年もですか」

「漢中で、死すべき身だった。それを考えると、なにほどのこともない」

「関羽将軍が亡くなられたのが、やはり御自分のせいだと思っておられるのですね？」

「私の見通しが甘すぎたために、あの英傑を死なせたのだ、陳倫。私はだから、蜀を立派な国とする義務がある」

「それでも、働きすぎておられます。途中で倒れたら、国作りもどうなってしまうのですか？」

「倒れはせぬ。私には、倒れることなど許されないのだ」

諦めたように、陳倫は嘆息をひとつ吐いた。

やらなければならないのは、国作りの仕事だけではなかった。

再度の、戦略の構築である。もう一度魏を攻めることが可能なのか。可能ならば、どういう方法があるのか。

天下三分の形勢は、動いていない。ただ、呉が荊州まで奪った。蜀は、漢中は加えたものの、益州のみとなった。

荊州から北上して洛陽を牽制し、雍州に出た本隊が長安を奪るという構想は、画餅に帰した。再度、荊州を奪回できるのか。奪回したとしても、呉との緊張を抱えたまま、北上できるのか。

孫権さえ同盟を破らなければ。それは、考えないことにした。破られる隙が、こちらにあったのだ。一度同盟を破ったところで、呉と蜀は再び同盟しないかぎり、魏の圧力に対抗できない、と孫権は読んだのだ。だから、荊州を奪っただけでは、決定的なことにはなり得ない。もともと、蜀が荊州を有していたのは、呉の力があったからだ、という考えが孫権の心の底にはあったのだろう。

呉と蜀の同盟は、どう考えても必要だった。それが、魏による制覇を許さない唯一の道なのだ。しかしいま、蜀の中に呉との同盟を肯んじる空気はない。

特に、劉備と張飛だった。間違いなく、この二人は孫権を討つと心に決めている。戦略よりも、兄弟の情の方が先行していると思えるのだ。それは劉備らしいし、また張飛らしい。

二人が鍛えあげた軍が、荊州に入る。それによって、再び益、荊の二州を足場にした戦略が組み立てられないのか。劉備と張飛は、荊州を奪回できるのか。

「南の統治を密にして、国力をつけるべきです」

馬良は、そう進言してきた。

「荊州などを奪ってしまうと、呉と緊張関係を続けなければなりません。魏につけ入る隙を与えます。それよりは、益州の国力を高めて機会を待つ方がよい、と私は思います」

「馬良の考えは、よくわかる。巴蜀の地の統治がうまく運んだら、南に眼をむけるべきだろう」

「殿と張飛将軍が、あくまで荊州にこだわられるであろう、と孔明殿は考えておられるのですね」

「荊州ではないな」

「孫権という男に、こだわっておられるということですか？」

「殿と、関羽、張飛の二将軍。この三人には、余人に知れぬ通じ合う思いがあるのだろう。出会った時から、私は痛いほどそれを感じ続けてきた。蜀という国を擲っても、殿は孫権を討とうとされるだろう」

「なるほど。戦略よりも先行しているものがあるのですか」

「馬鹿げていると思うか、馬良？」

「いえ、私は好ましいという気がします。どれほど戦略が緻密であろうと、最後はそれぞれに関わっている人の心に行き着きます。ならば、どこかに他を圧する強い思いがあった方がよい、という気がします。殿と張飛将軍の思いなら、蜀そのものの思いと言ってもよろしいでしょう。魏や呉よりも、強い思いが蜀にあるということです。荆州奪回を考える方が、上策なのかもしれません」

劉備や張飛の思いを、戦略の要に転用せよ、と馬良は言っているようだった。たとえ孫権を討てなくても、荆州を奪回すれば、二人の思いはいくらか安らぐかもしれない。

益、荆の二州を足場としてなら、構築できる戦略は多岐にわたる。

「荆州を奪った場合」

「私が行きましょう、孔明殿。殿か張飛殿が、荆州で軍を組織するということになるのでしょうが、私でよければその民政を担当いたします。われらが荆州を奪回すれば、呉が再び魏と結びかねませんが、それが呉の自殺行為であることを、はっきり孫権にわからせればよい、と私は思います」

呉が、蜀との同盟を破って魏と結び得たのは、ほんの束の間だった。それも、戦線をともにするということでなく、関羽の背後を衝くということでだ。すでに、合肥では呉と魏の緊張が高まっているという。

荊州を奪回したのち、合肥の戦線の魏を牽制するために軍を出す。それで、呉との同盟は細々とであるが復活はさせられるかもしれない。孫権の、合肥に対する執念は、並々ならぬものがあるのだ。

「微妙だな、馬良。縄にぶらさがって、谷を渡るようなものだ」

「渡り切ったら、南の統治を充実させるより、ずっと力はつけられることになります。通常なら、南の統治が第一の策だとは思いますが」

劉備と張飛が納得しない。つまり、通常の状態ではない、ということだ。ならば、劉備と張飛の激しい思いを核にして、まず荊州奪回を計るべきなのかもしれない。

「この際ですから、申しあげさせていただきます。孔明殿の北進の戦略は、実に卓抜なものだった、と私は思っています。どこにも隙は見出せませんでした。神の戦略だ、と私は思ったほどです。しかしふり返ると、神の戦略なるがゆえに、人の愚かさを見落としていたのではないか、とも思うのです」

馬良は、それ以外のすべての特徴を消してしまっている、見事に白い眉をちょっと上下に動かした。

確かに、見落とした。孟達の信義のなさを見落としたし、士仁や糜芳の弱さも見落とした。それが、関羽の命まで奪ったのだ。

神の戦略などはあり得ない、と馬良は言いたいのだろう。

益州攻略の途次、龐統が雒城で命を落とした。流れ矢だった。結果として、あれが関羽の立場を苦しくした。軍師不在という状態の中で、樊城攻囲にかからなければならなかったのだ。龐統の死も、孔明の予測の外にあった。

「荊州へ、行ってくれるのだな、馬良？」

「南へ行くか、荊州へ行くか。どちらも同じようなものでしょう。孔明殿が、成都を離れられるわけにはいかないでしょうから」

「わかった。いざ動く時には、馬良がいる。私はそう思っていることにしよう」

馬良の、白い眉がまた動いた。ほほえんだようだ。

「兵を挙げられてから三十有余年、殿がどういう思いを抱かれていたか、馬良はわかっているのだろうな？」

「はい。漢王室を再興することによって、この国の秩序を取り戻そうと志してこられた、と理解しております」

「その通りだ。こういう時こそ、まわりにいる者が、それを忘れてはならぬ。殿のお心の底には、その志が消えることなくある」

馬良が頷いた。

切れすぎるところがある。弟の馬謖の方が、単純で豪快で、どちらかというと人に慕われる。しかし、この俊才の能力は、いまは蜀にとっては、なによりも必要なものだろう。孔明は、馬良を好きになりかけている自分に気づいた。

「きのう、私は殿と張飛将軍の調練を見て参りました。お二人とも、関羽将軍の死にそれほど心を動かされたようには見えなかったのに、調練は鬼気迫るものでありました」

「人が、心の底からの怒りを抱いた時は、そんなものなのだろう。関羽殿の仇を討たぬかぎり、消えることのない怒りだ。私は、そこには踏みこめぬ」

「羨しいという気がします。それほどに男と男が結びつけるというのは」

孔明も、そう思っていた。男とはそんなふうに結びつくのだというのが、新鮮な驚きでもあった。

「馬謖も、殿の麾下で、二千もの兵を率いて駈け回っておりました。大きなことを言ってしまう性質があるのですが、あれだけの激しい調練の中で、それもいくらかは改まりそうです」

「馬謖は、なかなかのものだ。兵の指揮ができるようになれば、すぐにも一軍を任せていいだろうと思う」

「甘やかさないでください、孔明(こうめい)殿。幼いころからの性格は、たやすく変るものではありません」

「それでも、馬良(ばりょう)はいい弟を持っている、と私は思っている。私の知っていることは、少しずつ馬謖(ばしょく)に教えていくつもりだ」

「馬謖も、幸せな男です」

馬良が頭を下げた。兄弟の結びつき。劉備(りゅうび)や張飛(ちょうひ)が関羽(かんう)と結びついていたのは、やはり兄弟という感情からなのか。血が繋(つな)がっていない分だけ、さらに心の結びつきは強くなるのかもしれない。

一日に一度、成都(せいと)の中を歩き回るのも、孔明の日課だった。従者(じゅうしゃ)は三人だが、剣の腕が立つ者を選んである。身辺を警戒することも必要なのだ、と孔明は成都に戻ってからは思いはじめていた。曹操(そうそう)や孫権(そんけん)の間者(かんじゃ)が、成都にかなり入りこんでいるに違いないのだ。

城内を歩き回ることで、民の心を知ることができる。税が重すぎはしないか。政事(まつりごと)に不満を抱いていないか。それだけではなく、儲(もう)けすぎている者がいたり、不正を働いている役人が見えたりもする。

声をかけられたのは、夕刻だった。市場のそばである。

張飛の妻、董香の大柄な姿があった。相変らず、食料などの買出しを使用人に任せず自分でやっている、と陳倫からは聞いていた。

「董香殿、市場に物はありますか？」

「儲けようという輩は、少なくなりました。孔明様が、眼を光らせてくださるおかげです」

「私ではなく、簡雍殿でしょう。公安にいたころは、伊籍殿がずいぶんと調べてくださっていましたが」

「簡雍様は、このところお姿をお見せになりません。どうも、お躰がおよろしくないようなのです」

孔明が漢中から戻った日の軍議には、簡雍はいた。土気色の顔でずいぶん痩せたと思ったが、麋竺の騒ぎで紛れてしまっていた。麋竺を連れ出した者たちの中に、簡雍が入っていたのだけは憶えている。

「酒を飲みすぎておられましたからな。張飛殿もよく飲まれる。まあ、あのお方にかぎっては、病とは無縁でありましょうが」

「心を病むことはあります、孔明様」

「張飛殿が？」

「幕舎では酒浸りだ、と息子が申しておりました。あれで、心は脆いところがあるのです」

「そうか。関羽殿のことですか」

「兄上様たちとは、私にも立入ることができないなにかがございます。想像もつかないようなことが起きるのではないかと、心配ですわ」

想像もできないことと言ったが、董香は張飛が関羽の仇を討つことを考えているとはわかっているだろう。そのやり方が、極端なものになりかねない、と思っているのかもしれない。

「董香殿の危惧は、心に留めておきましょう。張飛殿は、練兵に精を出しておられます。酒浸りだというのは、はじめて聞くことですが」

「戦をすれば、気が紛れるかもしれません。私が、ただそう思っているだけですが」

益州の中に、叛乱の芽がないわけではなかった。少数民族がいる。豪族の不満分子もいる。荆州を失ったことがやはり大きく、形勢観望を決めこんでいた者たちが、魏や呉と連絡を取りはじめている気配なのだ。

「主人のことばかり、申しました。孔明様も、どうかお躰に気をつけてくださいますように。陳倫様が、お心を痛めておいでです」

孔明は、軽く頭を下げた。

成都城内は、平穏である。いま、蜀はどこにも戦線を抱えていない。民にとっては、それだけでいいのだろう。表情はみんな明るかった。

夜になると、闇に紛れて館にやってくる者たちがいる。ほとんどが、応累の手の者だった。

魏や呉の情報を運んでくる。蜀内部に放っている者もいて、豪族の動向も入ってきた。それを集めて、分析する。時には、応累自身がやってくることもあった。

この国は、いま三つ巴で、しかし静かだった。

4

馬超は、成都へ戻ってきていた。

年が明けたばかりだ。将軍として預かっている一万の軍は、馬岱が指揮して白水関にいる。ほかに魏延の二万が漢中にいるが、益州北部に緊張はなかった。

館には、袁綝がいる。風華と名付けた犬も、小牛のような大きさになって、袁綝のそばにいた。袁綝は、二十一歳である。思わず眼をそらすような色香を、時々垣間見せる。

「箇雍殿は、顔が黒っぽくなり、すっかり痩せてしまわれました。孟起に会いたいと、時々私にもおっしゃいます」

「よく見舞っているそうだな、袁綝」

以前のように、小綝と呼ぶには、袁綝は女になりすぎていた。胸の脹らみも腰まわりも豊かで、眼には妖しいほどの光がある。

「あんなになっても、箇雍殿はお酒を飲みたがります。もう止めても仕方がないと思って、私は止めないことにしました」

「それほどに、箇雍殿は悪いのか？」

「生きるのに飽きた、とこの間はおっしゃっていたわ」

箇雍なら、ほんとうに飽きたのかもしれない、と馬超は思った。

「お見舞いに行くのでしょうね、孟起？」

「行くが、その前に孔明殿に会わなければならん」

「諸葛亮という人、私はあまり好きではありません。悪い人じゃないのだろうけど、ゆったりしたところがないわ、簡雍殿のように」

「この館に来るのか、孔明殿は？」

「簡雍殿の家で、時々会うのです。あの人が、本気で簡雍殿を心配しているように は、私には見えないわ。それでも、なぜかお見舞いに来て、市場がどうだとか、ど こに新しいお店ができたか、というような話をしているわ」

「それが、孔明殿の見舞いなのだ。なんとか、飽きさせまいとしているのだろう」

「それなら、張飛殿の方がずっといい。生きれば生きるだけ、酒も飲める。まわり が止めても、自分が酒を手に入れてやる。そんなことをおっしゃっています」

簡雍は、不思議な男だった。悲しみに満ちたやさしさで、人を包みこんでくる。 最初に酒を酌み交わした時、馬超はそう感じた。劉備に臣従というかたちをとって もいい、と思わせたのは簡雍だった。どうでもいいのだろう。酔った簡雍は、馬超 にそう言ったのだった。

「とにかく、俺は軍師殿のもとに出頭してくる。それから、二人で簡雍殿のところ へ見舞いに行こうではないか」

馬超が成都に連れてきているのは、五十騎ほどだった。白水関でも、本隊の一万 とは別に、涼州のころからの麾下千五百を率いて、馬岱とは別行動をしている。

孔明は、自邸を役所のようにしていた。

名を告げると、すぐに奥の部屋に案内された。入ってきた馬超を、孔明は立ちあがって迎えた。漢中にいたころより、いくらか痩せて、鋭い容貌になっている。

「まだ軍師を続けています、馬超殿。蜀にとって、いいことかどうかはわかりませんが」

どこか、率直になりきれないところが孔明にはある、と馬超は思った。袁綝はそれを本能的に感じて、孔明を嫌っているのかもしれない。

「私を、呼び出された理由は、孔明殿？」

「呼び出したというわけではありません。簡雍殿の病が篤い。それで、馬超殿は成都におられた方がいいだろう、と思っただけです」

「病については、袁綝から聞いています。孔明殿も、しばしば見舞われているようですな」

「好きなのですよ、あの人が。諦念を心に抱いたまま、かぎりなく人にやさしい。私は、あんなふうにはなれません」

従者が、湯を運んできた。

部屋は整然としていた。厖大な書類などが積みあげられているが、きちんと区分けされているようだ。大雑把なところが、まるでない男なのだろう。その上、異様に鋭いときている。なにかを途中で投げ出すことも、やれる性格ではないようだ。

乱世では、生きにくい男かもしれない。新しく国家を建設するような時に、孔明の能力は充分に生きるのだろう。蜀は建国中と言ってもいいが、魏と呉という外敵を抱えている。その意味では、いまだ乱世なのだ。

「決心は変りませんか、馬超殿？」

「決心とは？」

「死ぬまで、殿の臣下でいる。死ぬまでというのは、あなたが死ぬまでではなく、簡雍殿が死ぬまで、ということではないのですか？」

やはり、鋭すぎる男だった。簡雍がそう言ってくれと頼んだので、挨拶代りに口にしてみただけである。自分が死ぬまで劉備の麾下にいてくれ、と簡雍は確かに言ったのだった。

それ以外に、簡雍が特になにか言ったわけではない。乱世の中で、ずっと劉備に従ってきたので、人間の弱さや悲しみもよく見ることができた、という話を酔いながらくり返しただけである。なぜ劉備に従ってきたからそれが見えたのかは、語らなかった。それでも、なんとなく馬超は納得したような気分になった。

言うことに一片の嘘もないという峻烈さを感じさせたわけでもなければ、話に摑みどころがないと思わせたわけでもない。人とはこんなものだろうという姿を、数日ともに飲みながら簡雍は見せただけである。

「だとしたら、どうするのです、孔明殿？」

「私としては、決心を変えていただきたい」

「決心など、はじめからなにもしていない」

関羽が死んだ。孫権の裏切りはひどいものだったが、乱世ではそれもめずらしいことではない。馬超が曹操と闘った時も、小さな裏切りは数えきれないほどあった。

「殿を、どう思われます、馬超殿？」

「主君に対して、どうこう言うつもりは私にはない」

たとえば、馬岱の主君としては悪くない、と馬超は思っていた。馬岱のような男には主君が必要で、曹操や孫権と較べると、劉備はずっとましだろう。

自分にとって主君が必要なのかどうか、馬超にはよくわからなかった。どうでもいいのだ、という気分が先に立つ。

「帝についての話を、私はあなたと交わしたことがありません」

「簡雍殿と、いくらかは話したかな」

「私は」

言いかけた孔明を、馬超は手で制した。

「私の父は、衛尉（警固の役）として帝のもとに出仕した。そして、曹操に殺された。弟たちも、一族もだ。帝に対する思いが、人の心の中でどれほど熱いか、そしてむなしいか、私はよく知っている」

「そうですか」

孔明がうつむいた。

蜀の中では、龐雍が病に倒れているだけではない。漢中争奪戦では活躍した黄忠が、すべての力を使い果したように、静かに死んでいったというし、法正は重い病に倒れていた。江陵で裏切った糜芳の兄の糜竺も、憤怒のあまり床に就いたままだという。

いまはひとりの麾下も失いたくない。孔明は、そう思っているのだろうか。

「馬超殿、もし蜀を去ることがあったら、死んでいただきたいのだが」

「ほう」

「無論、殺すと言っているのでもなければ、命を絶てという意味でもないのです。死んだことにして、蜀を去っていただきたいだけなのです。つまり、龐雍殿の流儀で」

「なぜ、そんな必要があるのです？」

「できれば、殿にあまり大きな悲しみを与えたくないのです。関羽殿の戦死で、私は臣に対する殿の気持のありようがわかった、という気がします。病死ならば、まだ諦めもつく。そういうかたちで、蜀を去っていただけないでしょうか？」

「なるほど」

一瞬だけ、馬超はまだ若いこの軍師が好きになった。うまい酒をともに飲みたい、とはじめて会った時に劉備が言っていたことも、はっきりと思い出した。馬超と二人きりになって、なにかに祈るような口調で、劉備はそう言ったのだった。

「殿のもとで、馬岱は働かせていただきたいと思っています。いまは、それだけ申しあげておこう」

かすかにほほえみ、孔明は頷いた。

関羽の死で、蜀の混乱はまだ続いているという感じだが、漢中を去る時ほどの動揺は、孔明には見られなかった。すでに先のことを見通して、戦略を構築しようとしているのだろう。その戦略に、馬超を加えられるかどうか、冷静に判断しようとした、とも思える。

「館におられるのは、娘さんではなかったのですね。袁綝と名乗っておられました」

孔明が、話題を変えた。簡雍のところで孔明に会った、と袁綝が言っていた。

「物怖じしない方だ」

「縁があって、娘のように育ててきたのですがね」

「簡雍殿の世話を、よくしてくださる」

簡雍は、妻帯していなかった。家にいるのは、下女だけのはずだ。

「私よりも、簡雍殿の方を、父親のように思っているのかもしれない」

「孫権の妹を、劉家の正室に迎えたことがありました。孫夫人は、やはり簡雍殿を父親のように思っておられましたな。それから張飛殿の妻の董香殿を母親のように」

「袁綝は、男の中で育ってきて、母も知らないのです」

馬超は、孔明と喋っているのが、苦痛になってきた。なにを喋っても、どこかに切迫した響きを感じてしまうのだ。それに、並はずれた鋭さが加わってくる。袁綝のことも、なにかを感知したので話題に出したのだろう。

「私に対する話は、これで終りだと考えてもいいのかな、孔明殿?」

「もうひとつだけあります。五斗米道の張衛殿と、会わせていただくことはできませんか？」

張衛は、さらに山の奥に入っていた。山中の国境ははっきりしないが、多分この国にはいない。羌族が点々といるだけの、険しい山地である。そこでなにをやろうとしているのか、馬超にもはっきり言わなかった。

ただ、山には馬超も眼をむけている。世の動きとは隔絶したところで、人の静かな生活があるのは知っていた。

「無理ですな」

「いずれ、南に行かなくてはなりません。その時のために、山に馴れた軍が欲しいのです」

「ならば、育てられることだ。張衛とて、もともと山育ちというわけではない。漢中に拠って、山というものを知ったのです」

「時がないのですよ。虫が良すぎることを言っているとは、わかっていますが」

「諦めていただきたい。私は、孔明殿の話を張衛に伝える気もない」

「わかりました」

孔明は、それ以上無理押しはしてこなかった。

孔明の館を辞すると、馬超は簡雍の家にむかった。連れているのは牛志だけで、白水関から連れてきた五十名は、館に残していた。本来ならば、部将としてまず劉備のところへ出頭すべきだが、城外の調練に出ているという。

簡雍は、庶民が住む小さな家で暮していた。劉備が出発したころからの幕僚であるから、それなりの館が与えられるのだが、固辞してこの家に住んでいるのだという。

入るとすぐに部屋で、簡雍は寝台に横たわっていた。馬超を見て眼を見開き、起きあがろうとする。それを手で制して、馬超は寝台のそばに立った。

「酒毒が、全身に回ったな、簡雍殿。人の二倍も三倍も飲んできたのだから、まあいいかな。俺は、もっと病人らしくしているのかと思っていたよ」

「見てわからんのか、立派な病人であろう」

「酒を少々持ってきたのだが、病人ならば飲めぬな。代りに、俺がここで飲んでしまおう」

「待て、馬超。病人は仮の姿で、ほんとうは元気なのだ」

「ならば、飲むといい。杯に二杯だけだ」

「どうして、たった二杯なのだ」

「俺の分も譲る。つまり杯に二杯分の酒しか持ってきていない」

「ないよりは、ましか」

呟くように言い、簡雍は上体を起こした。痩せていた。口もとの皺が、刃傷のように深い。それに、土気色の顔色だった。杯を持った簡雍の指の爪が、反ったように変形している。

一杯目を呷った簡雍が、ちょっと首を傾げた。酒には違いないが、薬草を漬けこんだものである。

「どうだ、涼州の酒も悪くなかろう」

「涼州の酒か。やさしい男だな、馬超は。わざわざ、涼州の酒を白水関から運んできたか。まあ、酒の味はする」

薬草を漬けこんだ酒だと、簡雍は気づいたのかもしれない。それでも、二杯目もひと息で飲み干した。

家の中はきれいで、着ているものも清潔だった。袁綝が、きちんとやっているようだ。

「おまえの気持が、わかってきたぞ、馬超」

「俺の気持だと？」

「誰にもわかって貰えない、と思っていたであろう。ところが、わしにはわかるようになった」

「ほう」

「もう飽きた。戦にも、人の死にも」

再び横たわった箇雍が、眼を閉じて言った。

「そうか、飽きたのか」

「飽きれば、嘆くことも悲しむこともない。都合はよいな。ただ言っておくが、生きることにも飽きたが、酒にだけは飽きておらん。それを袁綝によく言っておけ。わしが隠していた酒まで、袁綝は見つけて持ち去った。こんなことなら、殿に頼んで大きな館を貰っておくのだった。この家では、隠していてもすぐに見つかる」

「大きな館でも、袁綝は見つけるさ」

「苦労するな、馬超も」

「俺が、なぜ？」

「女房にすると、大変だぞ、袁綝という女は」

「娘のように育ててきた袁綝が、なぜ俺の女房なのだ」

「袁綝が、そのつもりだからさ」

「冗談にしても、つまらぬな」

「いずれ、わかるさ。わしのように老いてくると、人の心の悲しい思いだけが見えてしまったりする。因果なことだとは思うが」

「俺は帰るぞ、簡雍殿。まだ死にそうではない。酒は、二杯分ずつ袁綝に届けさせよう」

「殿に会ったのか、馬超？」

「いや」

「また調練で、外へ出ておられるのだな。わしはなぜか、あのお方が好きなのだ。昔からな。不思議なお方だ。わずか数百人を率いて黄巾軍と闘っていた時も、蜀の主となられたいまも、どこも変っておられぬ。ああいうお方こそ、人の上に立つべきなのだ。その姿を見られぬことが、心残りだ」

「益州を得ただけでも、よいではないか。先年の孔明殿の北進策は、卓抜なものではあったが、隙がなさすぎた。だから孫権に裏切られたのだと、俺は思っている」

「隙があって、曹操に勝てぬかもしれぬと思えば、孫権は裏切らなかったということか？」

「俺は、そう思った。蜀が大きくなるのがこわくて、孫権は裏切ったのだからな。

どこかに隙を見せる。そういうことが、孔明殿にはできぬのだろう」

「わしが死んでも、蜀に残らぬか、馬超？」

「約束が違うな」

「酔って交わした約束ではないか」

「だからこそ、簡雍殿のほんとうの約束なのだろう。馬岱(ばたい)は、主君がいた方がいい。

だから、蜀に残す。俺には、主君などいない方がいい。俺も、飽きたのさ」

「しかしな、馬超」

「もうよせ、簡雍殿」

言って、馬超は簡雍の手をとった。痩せて骨ばかりになった、小さな手だった。

冬に舞う蝶

1

言葉が、出てこなかった。

心の中に、なにかある。それが言葉と結びつかないかぎり、詩にもならないのだった。そんな経験は、はじめてだった。心の中をそのまま表現し得たかどうかは別として、言葉はいつも出てきたものだ。

心の中にわだかまっているものが、いままでとはまるで違う、と曹操は思った。たとえて言えば、いままでは心の中にけものがいた。その姿が、はっきり見えた。走っているところ、眠っているところ、餌を食らっているところ、交合しているところ。感じとしては、そうだった。それが、いまは姿が見えない。息遣いだけを、より近く肌に感じるだけなのだ。

自分にとって、詩とはなんだったのだ、と曹操は考えた。心の中のなにかを、確かめるものではなかったのか。

「虎痴」

曹操は、許褚を呼んだ。用事があるわけではない。姿が見えないと、なんとなく落ち着かないのである。

許褚は、部屋の入口に立ち、すぐに姿を消した。いつも声の届くところにいる。それさえ知れば、曹操は安心できるのだった。

関羽雲長が、策略に嵌って死んだ。それで荊州の江南は孫権のものになったし、漢中に集結していた蜀軍も、益州全土に散った。戦の火種は、どこにも見えなくなったのだ。

関羽を、あんなふうに死なせてよかったのか、という思いが曹操につきまとっていた。すでに、群雄が割拠しているという状態ではない。天下は三分され、決戦の秋を迎えつつあったのだ。誰が勝つにしろ、力で結着をつけるべきだったのかもしれない。騙し討ちや裏切りなど、最後の覇権の争いでは意味のないことだ。実際に、呉が領土を拡げただけで、状況は再び膠着に入った。乱世が、まだ続く気配が濃厚である。

関羽が北進し、漢中の蜀軍が雍州に進出する。そこが、決戦の機だった。魏にとっては、非常に苦しい決戦になったことは、間違いない。しかし、そこを凌ぎって勝ち抜けば、それで乱世は終った。

いまはもう、乱世を長引かせる戦よりも、終らせるための戦をするべき時だ。その認識が蜀にはあり、呉にはなかった。そして曹操にはあったが、曹丕や司馬懿にはなかった。自分が勝ち残りたいという思いは、誰にもある。それと覇権とは、また別のことなのだ。それぞれの力を出しきって闘う。それが、覇権の争いだろう。

しかし、曹操は、曹丕や司馬懿の動きを、止めなかった。どこかで、負けることを恐れていたのかもしれない。

関羽を、騙し討ちで殺した。それが、気持にひっかかっているのは確かだった。

昔ならば、そういうことはなかった。惜しいとは思いながらも、乱世の常だと思い定めることもできただろう。

やはり、老いたのだ。心の、そこここが脆くなっている。しかも、崩れてくるまで、自分ではそれに気づいていない。

「虎痴」

呼ぶと、許褚が入口に立った。今度は、姿を消さない。所在を確かめるためか、ほんとうに用事があるのか、許褚は聞き分ける。

「馬を用意せよ。遠乗りをする」

「夏侯惇殿が、お止めになると思いますが」

「誰が、私を止められるのだ。夏侯惇にも、供をするように言え」

「はい」

許褚が姿を消し、しばらくすると馬の用意が整ったことを従者が告げに来た。

五百騎の供揃えだった。それを五騎に減らせと言えば、いろいろと面倒なことになる。許褚が轡を取った馬に、曹操は黙って跨った。

「あまり御無理はなされませぬように、殿下」

「無理とはなんだ、夏侯惇？」

「お躰を、無意味に苛められることです」

「躰は、鍛えておかねばならん。戦場に立てなくなった時、私は自分が死んだと思うだろう。生きながらの死は、武人の恥でもある」

「殿下は、充分に戦場にお立ちになれます。実際に干戈を交えるのは、若い者の仕事です。これは、私にも当て嵌ることです」

「お互いに、老いたということかな、夏侯惇。しかし、馬にだけは乗れる、と思っていたいではないか」

「御意。馬では、私もまだ若い者には負けません」

「それでこそ、夏侯惇よ」

駈けはじめた。

すでに先触れが出ているのか、洛陽の大通りに人の通行はなかった。

数年前から、洛陽の再建にはとりかからせ、いまはすでに、宮殿と呼んでもいい広壮な館も完成している。大規模な役所も設け、それにともなって民が集まり、商人も活発に動きはじめた。

董卓の手によって、洛陽は一度廃墟になった。墓まであばいてしまうという徹底的な破壊で、雍州を完全に制するまでは、再建も無理だったのだ。

今後、蜀や呉と対していくには、鄴では遠すぎた。洛陽が、絶好の位置なのだ。中原から河北まで、睥睨できる場所でもある。

「私がここで、西園八校尉（近衛師団長）をしていたころのことを、夏侯惇は知らぬのだな」

「私が殿下のもとへ馳せ参じたのは、洛陽を脱出されてからです」

「ここに、私の青春があった。袁紹がいたし、袁術がいた。その上には、何進がいた。しかし、ほんとうに幅を利かせていたのは、宦官どもであったな。しかも、私は宦官の家の子であったのだ」

「そのようなことは」

「言っても、意味はない。ただ、洛陽にいると、苦い思いで過した青春を思い出す。名門の子を、憎んでいたような気もするし、羨んでいたような気もする」

城内では、馬を激しく駈けさせなかった。戦場でも、原野でもないのだ。

「やがて、黄巾の乱だった。そこで、私は劉備に会ったのだ」

「関羽と張飛は、すでに連れていたのですな？」

「趙雲は、いなかった」

「反董卓の連合軍が酸棗に集結した時、劉備を認められたのは殿だけでした」

「いや、認めていたのは、私と孫堅だ。集まった諸将の中で、孫堅は間違いなく非凡だった。あの時、闘う意志を持っていたのは、孫堅だけだったしな」

「呂布の騎馬隊のことも、思い出します。あれは、美しかったとさえ言っていいのではないでしょうか」

「呂布か」

曹操は呟いた。むなしく死んだのは、関羽だけではない。孫策は、暗殺した。袁紹は打ち破り、周瑜は病で死んだ。

「もののふは、死んでいく」

城門を出た。

そこからは、思いきり馬を駈けさせた。街道をはずれ、原野に出る。街道を五百騎で駈ければ、通行の妨げになるだけだ。

原野を駈けるところから、すべてがはじまった。かつて洛陽を脱出した時は、ひとりだった。駈けに駈け、故郷の譙県の近くまで戻って檄を飛ばし、兵を挙げた。そこに夏侯惇が、夏侯淵が、曹洪が、曹仁が参じてきた。わずか五千で、ほかの諸将とは較べようもなかったが、天下への志は持っていた。

あれからずっと、原野を駈け続けてきたようなものだ。

天下に、手をかけた。手をかけたまま引き寄せられない状態が、十余年続いている。

危険な戦を、しなくなった。大軍で押し包み、相手を屈服させる戦が多くなった。自分よりも大きな者が、この国にいなくなってからだ。連戦につぐ連戦だったが、いつも圧倒的に優位な中での戦だった。

優位でありながら、赤壁で負け、漢中を失った。

かつて自分がやっていたような戦を、周瑜や劉備がやったということだった。

いつの間にか、三十里（約十二キロ）ほど駈けていた。

曹操は、丘の麓で休止の合図を出した。

許褚が素速く轡を取る。胡床（折り畳みの椅子）が用意される。すぐに火も燃やされた。兵たちはすべて、曹操ひとりのために動いている。
四、五人の兵が、曹操の馬の鞍をはずし、乾いた藁で躰を擦っている。警固に回った者たちは、一里（約四百メートル）ほどのところで、しっかりと戟を構えていた。
「よくお駈けになりましたな、殿下。私など、付いてくるのが苦しいほどでした」

夏侯惇が言った。曹操は、許褚が差し出してきた湯を啜っていた。

「思い出した」

「なにをでございます」

「いつも寡兵で駈け回っていた。寡兵なるがゆえに、駈け回らざるを得なかった。いまは大軍を動員できる。野戦などとも、およそ縁がなくなった」

「殿下は、覇道を進まれているからです」

「十年、その覇道で足踏みをしておるな」

「天下三分とは、思われないことです。ほとんどをすでに殿が制され、残ったわずかなものを、劉備と孫権が争っているのです」

「あの二人を、潰しきれぬ。いたずらに、関羽のようなもののふを死なせただけでな」

「今度のことでも、魏の版図は拡がったではございませんか」

「そんなにまでして、わずかな土地が欲しかったのか。関羽は、そう言っていたな」

塩漬けにした関羽の首が、孫権から送られてきていた。見つめていると、嗤われているような思いが強くなってきたのだ。

臣下にすることもできず、首だけになった関羽に嗤われた。首が送られてきてから二、三日は、曹操はそのことばかりを考えていた。死んだ者に対しては、なにも言い返すことができないのである。

死の間際に、関羽はなにを見、なにを思ったのだろうか。卑劣な策略の中で死んでいく悔しさがあったのか、もっと澄んだ安らかなものがあったのか。

関羽の首に関しては、曹操のまわりの者たちが動いた。蜀の恨みを魏にむけようという、孫権の陰謀だと見はじめたのである。曹丕と司馬懿が中心になって、盛大な関羽の葬儀がとり行われた。魏は、関羽を殺したくはなかった。それを表明したのである。

そういうことも、まるで意味がないわけではない。魏が画策した離間の計だったとしても、実際に裏切ったのは呉なのである。

しかし、曹操にはどうでもいいことに思えた。死んでからまで、大仰な葬儀などたくさんだ、と思っただけである。

ひと晩の野営で、曹操は洛陽に戻ってきた。

焚火を囲み、焼いた肉を食らい、闇の囁きに耳を傾けながら眼を閉じる。そういう野営は、久しぶりのことだった。いつも大軍がいて、幕舎が整えられ、館で過すのと同じような生活が用意されているのだ。

爰京を呼んだ。

躰の疲れに、鍼が心地よいだろうと思えたからだ。

「しばらく、馬に乗るのをおやめいただけませんか、殿下」

「ほう、なぜだ?」

「首の後ろのところで、血が滞っております。かつてなかったほどに」

「遠乗りが、躰にこたえているというのか?」

「遠乗りだけではありません。長い間の疲れもあるのでございましょう。気力がそれを隠しておりますが、遠乗りなどなされると、隠しおおせなくなっております。人の躰というのは正直なものだ、と私は思います」

「誰でも、老いはする」

「殿下は、六十六歳におなりです」

「死ぬる兆候でも、出ておるのか？」

「まさか。ただ、このように血が滞った殿下のお躰を、私は知りません」

「一時より、躰は楽になった、という気がするがな」

「血が滞ると、はじめは重たく、やがて苦しくなります。しかしさらに滞ると、なにも感じなくなってしまうのです」

「それは、死ではないのか、爰京？」

「死ではありません。死は、肉体の滅びです。生きているからこそ血が流れ、血が流れるからこそ滞りもするのです」

爰京は、入念に曹操の躰を指で押していた。たやすく鍼が打てないような状態なのかもしれない。指は、首筋から背中、蹠にまで及んできた。

死ぬことを、曹操はそれほどいとわなくなっていた。天下統一を果すまでは、とずっと思い続けてきたことは確かだ。大軍で漢中に攻めこんだ時は、そこで劉備の首を取ってしまおうとまで考えていた。

それが、どこかで切れた。天下に対する執着のようなものが、自分の中でそれほど強いものではなくなっていることに、ふと気づいたのだ。

関羽が北進し、蜀の本隊が漢中に集結している、という報告を受けたころからか。あれほどの激戦のあとに、すぐに進撃してくる。驚くべき気力だ、と曹操は思った。本来の自分ならば、そんなことには驚かず、蜀軍を自分の領土に引きこむいい機会だ、と思ったはずなのだ。

蜀にとってのいい機会は、裏を返せば、こちらにとってのいい機会にもなり得るのだ。それも、漢中の山岳戦ではない。原野における、本隊と本隊のぶつかり合いである。底力がものを言う。劉備と諸葛亮は、明らかに急ぎすぎていた。

全力で、迎撃すべきだった。充分すぎるほどの勝機はあったのだ。しかし、曹丕と司馬懿の姑息な策を黙認し、自らの存在をかけて闘うことをしなかった。

あの時から、天下への執着も、生きたいという強い欲望も、薄れてきたのかもしれない。

「言葉が、出てこぬのだ、爰京」

「どういう意味でございましょうか？」

「心の中に、なにかある。私はいつも、それを詩にしてきた。あらゆるおのが情念は、詩になるものだと信じて疑わなかった。それが、言葉にならぬのだ。血だけでなく、言葉まで滞っているという気がする」

やはり、血の滞りに似ているのだろう。なんでも、考えられる。それが衰えた、とは思わない。それは、躰が動くということと同じなのだろう。遠乗りもできるし、野営にも耐えられる。しかし、血は滞っている。それと同じように、心の底を表現する言葉は、滞ってしまっているのだ。

「心に打つ鍼はないものかな、爰京？」

「ございません」

「ないか」

「気力を失われないこと。それだけでございましょう。血の滞りを、少しでも緩め、流れをよくする。私の鍼でできるのは、それだけでございます」

「それだけが、ずいぶんと私を救ってきたという気がする。最近は、頭痛もそれほどひどいものではなくなった」

それが、必ずしもいいことではないかもしれない、と曹操は思っていた。生命の力が溢れている時、頭痛もひどいという気がしていたからだ。

ようやく、爰京が鍼を打ちはじめた。

睡魔が襲ってきた。眠るまい、と曹操は思った。眠りは死だ、と自分に言い聞かせた。それでも、いつの間にか眠っていた。

2

江陵まで達した時、孫権ははじめて新しい広大な領地を得たのだ、と思った。そして、長江をわがものとした。

領地よりも長江が、孫権にとっては大事だった。無数の支流があり、それは揚州、荊州を網の目のようにめぐっている。つまり、道なのだ。人も物も、その道で動く。その道を制することによって、呉は魏や蜀よりも豊かになれるはずだった。

孫権の思いは、すべてそこにある。豊かな国土を作ること。なにも、全土を統一することはない。揚州と荊州だけで、充分な広さがある。その二州を豊かにし、民を幸福にすることなら、自分にもできる。

兄の孫策は、全土の統一という夢を抱いていた。兄のようだった周瑜は、赤壁で曹操を打ち破り、夢が決してただの夢ではないことを、孫権に教えた。

二人からは、貴重なものを受け継いだ。

しかし、同じ夢を抱きはしなかった。自分には自分の夢がある、と孫権はいつも思っていた。どこよりも豊かな国土を、作りあげることである。全土を統一する必要などない。魏も蜀も、豊かさを競えばいいのである。

それが、政事というものではないのか。豊かさを競うのが人と政事のありようであり、殺し合いをくり返すのは、鬼畜の性ではないのか。

風が冷たい。長江を遡上する、艦の楼台だった。まわりには、大小の軍船が百艘余りいる。柴桑からさらに西へ来たのは、はじめてのことだった。

江陵、公安はもとより、夷陵から夷道に到るまで、呉軍は蜀に備えて展開している。呂蒙が病没し、西部方面の指揮官は陸遜である。それを淩統が補佐していた。

「殿、風が冷たすぎると、張昭殿が心配しておられます」

淩統がそばに立って言った。

「確かに冷たいが、心地よい冷たさでもある。私は、赤壁の戦も知らなければ、江陵攻めも知らぬ。ここで、こうして眺めていたい気持は強い。私は若いのだ。気にするまいぞ。張昭は、江陵の館に入るまで、船室で寒さを凌いでいるといい。それが老人らしいやり方だ。そう言ってやれ、淩統」

「私がですか？」

「おまえが言うのではない。私の言葉として、ただ伝えるだけでよい」

すでに公安は過ぎていた。江陵城も、すぐ眼の前に見えている。いまは、江陵にどういう順番で船を入れるか、話し合われている段階だろう、と孫権は思っていた。

老齢に達した者は、去りはじめている。父の代から仕えた、程普、黄蓋、韓当という将軍も、いまは韓当だけが生きているが、建業で余生を送っているという言葉がぴったりだった。

その中で、張昭ひとりは元気だった。いまだ、政事の中枢にいる。思考に老いはまったく感じられず、むしろ経験が加わった分だけ鋭くなってさえいた。

荊州が欲しいという気持は、張昭だけに伝えた。長江を生かすには、どうしても荊州までが必要だと思えたのだ。張昭は、蜀との同盟を破る方向に、平然として動いた。そして、荊州を奪ったのである。

蜀にとっては、呉との同盟は絶対に必要なはずだ。呉にとっても、それは同じだった。それを、一時的に破った。あくまで一時的だと孫権は思っていたが、張昭の決断がなければできないことだったろう。

荊州を奪った以上、蜀との同盟を復活させるのが望ましいが、そうたやすくいくはずもなかった。どこかできっかけを摑み、関係を改善するまで、蜀は敵である。だから江陵を中心にして、夷陵までかなりの兵力を展開させてあった。艦が、岸に近づいていく。二千ほどの兵が、整列して迎えていた。陸遜の姿も見える。

下船すると、孫権はすぐに馬で江陵城に入った。営舎が並んでいて、戦陣の気配が濃かった。兵の動きも、きびきびとしている。

「白帝城に三千ほどの兵がいるようですが、蜀軍が大規模な攻撃をかけてくる様子は、いまのところありません」

孫権の営舎に当てられたところで、陸遜が報告をはじめた。ほかには、張昭と淩統がいるだけである。

「いずれ、攻めてくる。必ずな」

「気は抜いておりません。夷陵より東へは、進ませないつもりです」

陸遜の力量がどれほどのものか、完全には摑んでいなかった。呂蒙は、買っていた。張昭も評価している。それは参考にはするが、ほんとうに力量がわかるのは、実績を見てからだと孫権は思っていた。合肥や濡須口の戦線では、むしろ淩統の方が実績をあげていると言ってもいい。

さまざまな報告を受けた。

まず、兵站の心配はない。強力な輸送船団があるからだ。武器も、蜀軍が残したものが相当にある。江陵、公安も含めて、兵力は六万。すぐに五万の援軍を出せる態勢が、江夏で整っている。

なすべきことは、民政だった。荊州一帯には、関羽の統治の影響が強く残っている。

「張昭が、当分の間、江陵にいることになる。文官も、二百名ほどは連れてきている」

荊州の民政は、自分がやるか、張昭がやるかだと孫権は思っていた。自分でやってみたいところだが、揚州で合肥の戦線も抱えていた。それに、揚州と荊州というように、民政を分ける気はなかった。呉という国の民政でいいのである。

宴が開かれたが、戦陣らしく質素なものだった。建業から伴った文官と、江陵にいる武官の顔合わせのようなものである。文官の質には、孫権は自信を持っていた。ほとんどが、自分で育てた者たちなのだ。

三日かけて、夷陵まで視察に行った。

江陵に戻ると、文官のほとんどはもういなかった。張昭が、それぞれの任地を決めて送り出したのである。

居室で、揚州と荊州の地図に見入った。

地形から見ても、荊州はやはり呉の領土と考える方が自然だった。ほとんど山岳部はなく、広大な沃野が続いているのである。益州とは、険しい山で隔てられていた。

蜀との同盟を破ったことについて、かすかに感じていた気後れのようなものも、地図に見入っていると消えた。当然併せるべき土地を、領土に加えたとしか思えなくなったのだ。蜀が、益州と荊州を領するのは、無理がありすぎる。なにもかもが、二つに割れたかたちにならざるを得ないだろう。

三国が、落ち着きよくおさまる、と孫権は思った。魏が大きすぎるが、軍事でも民政でも、その分だけ抱える問題も大きい。蜀は、天険に守られているがゆえに、小さくてもいいのだと思えた。

「ほう、地図を御覧になっておられましたか」

張昭が入ってきて言った。

「呉の本拠が建業では、いささか片寄りすぎているな。地図を眺めているだけでも、それははっきり見える」

「国内の情勢が、速やかに伝わる場所。そして魏に対抗できる場所。この江陵では、西に寄りすぎていますかな」

「武昌あたりに、本拠を置きたい。東の建業と、西の江陵を結ぶ線が、そのまま魏に対する防衛線ともなり得る」

張昭が頷いた。

「広大でございますな、地図を見ると」

「これ以上、領土を増やそうとは思わぬ。合肥だけは、奪っておきたいがな。長江の利を、すべて生かせるぞ、張昭。魏よりも、ずっと豊かな国が作れる。民の数は少ないが、豊かになれば、北の民が流れてくることもあろう。まずは、水運を整備するところからはじめようではないか」

「無比の水軍がわが国にはあります。殿は命じられるだけでよろしいと思います。水路も、揚州ではほとんど拓かれておりますし」

「曹操にも、劉備にも負けたくない」

「その劉備でございますが」

「なにか、動きがあるのか？」

「いえ、成都におります。ただ、潜魚の手の者の報告によると、成都に七万近い軍が集結していて、すさまじい調練をくり返しているそうです」

「張飛、趙雲がいる。馬超もいる。戦になると、手強いであろうな」

「劉備という男、大局が見えませぬな。いや、時として眼を塞ぐのかもしれません。関羽の復讐戦に出てくると思います。いまの劉備に、曹操など見えてはいないでしょう」

「民政とばかりも、言っておれぬか」

「お願いがございました、殿に。致死軍の路恂を、私にお貸しいただけませぬか？」

「どう使うつもりだ」

「殿が、それを知られることはありません。蜀との同盟を破ったのも、この張昭。手を汚すのは、この老人ひとりで充分です」

致死軍は、もともと山岳戦のための部隊だった。それが、いつか敵に紛れて奇襲を得意とするようになった。人数は減って、千五百ほどである。路恂が精鋭を選び抜いて、そうなった。

致死軍があるので、路恂の出身である山越族は、税もなく手厚く扱われていると言っていい。合肥の戦線では、奇襲で大きな働きをしている。

「甘寧には、私から言っておく。致死軍は、当分の間、張昭の指揮下に入れることにしよう。好きに使ってみろ」

なにに使う気なのか、孫権は訊かなかった。手を汚すことが最後の仕事だと、張昭は思い定めているような感じがある。それはそれで、全うすればいいのだ。

幕僚の誰かが、孫権に代って手を汚す。国という組織には、そういう役割の者も必要になる。孫権がやりたいのは、戦でも、天下統一でもなかった。呉を豊かな国土にすること。そのためには、できるかぎり戦は避けたい。手を汚すのをいとわない者がいれば、避けられる戦もあるのだ。

「帰路には、武昌にしばらく滞留する。本拠を移すとなれば、いまの城ではどうにもならぬ。縄張りの検分だけでもしておこう。すぐに工事に入らせる」

「諸葛瑾にお任せになればよろしいでしょう。本来なら、呂蒙の仕事であったところですが」

「若い者が、育ってきている。死んだ者がいれば、と考えるのはよそう」

「しかし殿は、陸遜の手腕にはまだ不安をお持ちでしょう？」

「確かにな。しかし、誰にでも最初はある。陸遜は、この二、三年が正念場だ」

張昭は、孫権の肚をよく読む。皺の多い顔の奥にある眼は、いつも表情が変らないが、すべてを見渡しているという感じがあった。

肚を読んで、黙ってこちらの意に沿ってやってくれることがある。しかし、読まれたくないことまで、読まれることもある。

孫権は、臣下を信頼した、温厚な治政者の顔をしていたかった。ひとりひとりの力量に、たえず疑問を持つという自分の性格が、欠点であるという自覚があるからだ。しかし張昭には、その欠点が隠せない。

劉備は、いつ荊州に侵攻してくるのか。北進の準備はそのまま残っているから、すぐにでも出撃はできるはずだ。ただ、関羽が死んだ影響が、孫権が想像している以上に大きいのかもしれなかった。

「われらは呂蒙を失いましたが、蜀でも関羽が死んでおります。おまけに、徐州以来の幕僚であった糜竺が、弟糜芳の腑甲斐なさに腹を立てて、血を吐いて床に臥せっているということです。漢中戦でよく働いた黄忠が老齢で死んでおりますし、法正の病も篤いという話です」

張昭は、また孫権の肚のうちを読んでいる。劉備が、すぐに動ける状態ではない、と張昭は言っていた。北進のために全軍が張りつめていた蜀は、関羽の死でその緊張を失ったのだ。再び戦の緊張を取り戻すまでに、時がかかる。戦略も、立て直さなければならないだろう。

「私が気にしているのは、成都近辺にいるという、七万ほどの軍だ。それは劉備と張飛が率いていて、いつでも出撃できるのではないのか、張昭？」

「潜魚の手の者の報告では、尋常な調練ではないということですからな。あの二人の心の中では、恨みが燃え盛っているのでございましょう」

その恨みの中に、張昭は闇から手を突っこんで、なにかやるつもりだ。今度は、孫権が張昭の肚を読んでいた。

「武昌に発たれる前に、ひとつだけ申しあげておきます、殿」

「なんだ？」

張昭の態度が改まっていたので、孫権も姿勢を正した。

「あえて天下を望まずという殿のお気持を、私はよく理解しております。揚州と荊州で、豊かな国を作ろうと志されていることも。この乱世で、それは正しい道だとも私は思っております」

「なにが言いたいのだ、張昭？」

「それを言葉にして言われるのは、私に対してだけにしていただきたいのです」

「そういうことか」

部将にも兵にも、いずれ天下をと思わせていた方がいい。いや、武官だけでなく、文官もそうだ。これでいいとなれば、人はそこから腐りはじめる。天下を取る力をつけるために、国を豊かにしている。誰もに、そう思わせておくべきだった。

「天下は見つめている。しかし、慌てぬ。一歩一歩、そこにむかって進む。私は、曹操や劉備よりずっと若いのだ。おまえ以外の者には、そう言うようにしよう」

「臣の持つ力は、搾れるだけ搾り出して、使いきるものです、殿」

「臣であるおまえがそう言ったことも、憶えておこう」

張昭が、天下というものに眼をむけたことがあるのかどうか、孫権は知らない。兄の孫策に仕えていたころは、当然天下を取るために動いただろう。周瑜が先頭に立っていたころも、そうだったはずだ。

孫権が自分の意志を貫くようになってからは、それに従っているように見える。そのために、手を汚すこともいとわない。

「それが、臣というものです」

張昭は、また孫権の肚の内を見透かしたようなことを言った。

3

一度眼醒めたのに、再び眠ってしまったのだと思った。頭を持ちあげたところまで、はっきり曹操には思い出せた。

眠ったとしても、一瞬のことのような気がする。まわりは、なにも変っていなかった。ただ、部屋に射しこんでいる光が、さっきより眩しく感じられるだけである。

従者を呼び、身繕いをした。

朝食は、口にする気がしなかった。このところ、そういうことはしばしばある。歩いていると、時々躰が浮いたような感じがした。同じことが前にあったかどうか、曹操は思い出そうとした。長く馬に揺られたあとのような気分に似ている。

決裁すべきことが、かなりあった。細かいことは曹丕に任せているが、軍の関係から民政に到るまで、大事なところは眼を通さなければ気が済まなかった。

鄴にいた程昱が死んだ、という報告が入っていた。老齢である。八十歳にはなっていただろう。馬超と闘った時、雍州と涼州の諜略を担当したのが、程昱だった。夏侯淵は、それで圧倒的な勝利を収めたと言っていい。その夏侯淵も、すでに亡い。

曹操は、従者に茶を運ばせ、夏侯惇を呼んだ。

「程昱殿のことは、私もさきほど報告を受けました」

「ひっそりと、逝ったようだな」

「程昱殿らしかった、とは申せましょう」

夏侯惇は、静かに茶に手をのばした。

「戦がしたくなったのだがな、夏侯惇」

「どこが相手でございますか？」

「呉蜀」

「どちらを先に？」

「同時にだ」

「それは、危険でございます、殿下。呉蜀を合わせても、兵力はわれらの方が多いのですが、守るべきものもまた多くあります。北では、烏丸が不穏な動きを見せておりますし、気を許せば独立勢力が領内に出現しかねないところもあります」

「危険な戦を、してみたいのだ。負ければ死というような戦を。自分の力で得た魏という国の総力をあげた戦だ」

「本気でおっしゃってはおりませんな、殿下」

夏侯惇の口調は静かだった。

陽射しの暖かい、穏やかな日だった。洛陽全体は、人が増え、建築も進んでいる。館を出れば、静かどころではないのだ。その喧噪も、館の中までには伝わってこない。

「若いころは、すべてが可能だと思えた。どんな難しい戦にも勝機はあり、どんな危機にも活路はあるのだと信じられた」

「いまも、殿下はお変りになっておりません。ただ、支配している領土が変りました。大きくなりすぎております。つまり、殿下は身軽ではないということです」

「まったくだ。劉備や孫権は、私の敵としては小さすぎる。だから、昔のような戦ができぬのだ。袁紹を倒したころのことを、よく思い出す」

「あれは、苦しい戦でございました。それから、青州黄巾軍との戦。あの戦を耐え抜いて勝ったことで、殿下は袁紹とも対峙できるようになられたのです」

躰が浮いたような感じが、また襲ってきた。耐えた。やり過せば、なんでもないものだと、曹操は思いこもうとした。頭痛以外には、病とは無縁だった。

「誰とも同盟せず、ひとりの力で闘ってきた。それは、誇りだ」

「まこと、峻烈な戦をなさいました。どんな相手であろうと、剣を突きつけて、服従か死かを迫る戦でありましたから。わずかな兵力しかないころから、殿下はいつも、天下というものを見ておられました」

「それが、いまはおまえを呼んで昔話か」

「というより、私にそれぐらいの役しかできなくなった、ということだと思いますが」

「戦に出たいのだろう、夏侯惇？」

「戦場で死ぬ。武人ならば、誰もがそれを望みます」

「私も、武人であるのだがな」

「昔はです。いまは、武人のみならず、すべての人の上に立っておられるお方です。気軽に戦というわけには、参りますまい」

夏侯惇は、外の陽射しに眼をやった。

曹操の居室から見える場所は、人が歩くのを禁じてある。だから、冬の庭が見えるだけである。花もなく、みずみずしい緑もない庭だった。

また、躰が浮いたような気がした。

束の間、眠ったようだ。眼を開くと、外の明るさが、異常なほど眩しかった。半分は白くなっていて、なにも見えない。

「殿下」

夏侯惇の声が聞えた。

「お心を静かになさいますよう。動かれてもなりません」

「なにを言っている?」

「倒れようとされています、殿下は。私が抱きとめているのです。人も呼んであります。このまま、寝室へ運ばせていただきます」

「私は、自分の足で立ってはいないのか?」

「めまいを起こされただけでありましょう。しかし、大事はとらせていただきます。いま、許褚(きょちょ)が板を運んできます。それにお載せいたしますので」

夏侯惇が、人を呼んで指図した。そういうところを、曹操はまったく憶(おぼ)えていなかった。立ちあがろうとして、気を失ったようだ。しかし、なぜ立とうとしたのか。夏侯惇と、のんびりと喋(しゃべ)っていただけではないか。

庭に、蝶(ちょう)がいた。そんな気がして、確かめようとしたのだ、と曹操は思った。そこまでは、憶えている。

眼を閉じた。

眩しさが、いくらかましになった。それでも、まだ眩しい。眼を閉じているのになぜだ、と曹操は思った。

躰が持ちあげられ、板に載せられた。眼を閉じていても、それはわかった。

「ゆっくりだ。決して揺らすな」

夏侯惇（かこうとん）の声。

「虎痴（こち）」

「ここにおります、殿」

おまえにも防げない敵がいたな。そう言おうと思ったが、言葉が出てこなかった。

寝室へ運ばれた。寝台へ移される。

「眩しい。暗くせよ」

眼を開けると、やはり視界は白く輝いていた。すべてが、雪に覆われたような感じがする。眼を閉じた。侍医も呼ばれているらしく、手首の脈を取られた。

「夏侯惇様。お願いです。私に鍼（はり）を打たせていただけませんか」

「侍医は、薬湯がよいと言っているのだ、爰京（えんきょう）」

「たとえ薬湯がよくても、殿下はいまはお飲みになれません」

確かにそうだ、と曹操（そうそう）は思った。いまは、なにも口に入れたくない。そんなことより、この眩しさをなんとかしたかった。

「打ってみよ、爰京。許すぞ」

「なにかあれば、首を刎（は）ねていただきます」

「大袈裟（おおげさ）に考えるな。いつもの頭痛を治療するようにやればよい。私が命じて打たせるのだ。なにがあろうと、爰京の責任ではない」

　爰京の指さきが、肩に触れた。それが、首筋にあがってくる。眼を閉じていても、やはり視界は白かった。

「首筋に二本とこめかみに一本、打たせていただきます、殿下。それを、左右に」

「よいぞ」

　右の首筋に、鍼が入ってきた。抜くことをせず、刺したままのようだ。二本。右のこめかみにも、鍼が入ってきた。

　それから、左。

　頭の中で、なにかが動いているような気がした。血が流れている。曹操はそう感じた。むず痒いようだが、快くもある。不意に、左右の、こめかみの鍼が小刻みに動かされた。それから、抜かれていく。

　視界が、暗くなってきた。いつも眼を閉じている時と、同じだ。かすかに目蓋を持ちあげた。眩しさはない。眼を開いた。爰京の顔が、すぐそばにあった。そのむこうに、夏侯惇の顔も見える。

「おさまったようだ」

「なりません、殿下。決して、お動きにならないでください」

爰京が言った。こういう爰京の口調は、いままで聞いたことがない。病なのだ、と曹操ははじめて思った。これは、ただのめまいではない。

「重いのか、爰京？」

「わかりません。同じような症状で、回復した例も、しなかった例も私は知っております。ひどく眩しいと思われたのではありませんか、殿下？」

「眼を閉じていても、眩しかった。それは治ったようだ」

「眼の周辺の血流はよくなっているはずです。しかし、頭の中まではわかりません。ひとつだけ言えるのは、動いてはならぬということです。水は、お飲みください。食事は、しばらく耐えていただかなければなりません」

「わかった。私は、喋ることもできれば、考えることもできる。おまえが言うことも、勿論理解できる」

「それでも」

「わかっている。ほかの者たちに言っておくが、あまり騒ぎ立てるな。いつものように、虎痴の警固だけでよい。信じたくないが、どうやら病のようだ。いまは、それを癒すことに心を傾けよう」

「私も、許褚殿とともに、お側に控えております。もしお眠りになれるなら、しばらくでもお眠りください」

　曹操は眼を閉じた。

　眠れそうな気がした。気を失うのではなく、ほんとうの眠りだ。

　眼醒めた。夕刻だった。水が、少し口に入れられた。

　曹丕の姿が見えた。爰京も、侍医もいる。

「眩しかったが、それはきれいに治ったようだ。頭痛はないが、妙な気怠さがある。休んでも、癒えるとは思えぬような気怠さだ」

　誰にともなく、曹操は言った。人の動く気配があった。侍医が、脈を取っている。

「父上、侍医が薬湯を飲んでいただきたい、と申しております。爰京は、それについては反対のようですが」

「躰を温めまする。殿下は、手足が冷えておられます。躰が温まる薬湯を、処方いたしております」

「外から温めればよいのです。あとは血の流れをよくすることです。躰の中を動かす薬は、好ましくありません」

　爰京の声だった。ほかの侍医に、押し止められたようだ。曹丕は、侍医の方を信用しているだろう。そして、侍医のやり方を押し通そうとするだろう。

「虎痴」

呼んだ。部屋の隅で、動く気配があった。

「はい、殿」

「少しうるさい。静かにさせよ」

「かしこまりました」

許褚が、寝室にいた侍医たちを、外に追い出したようだ。曹丕が小声で制しているが、許褚は思うことをやってのけた。

「父上」

「私が一番つらかったのは、眩しさであった。侍医どもは、脈がどうのと言っているだけで、その眩しさに気づこうともしなかった。気づいて、治したのは爰京だ」

「そうでございましたか」

「風邪のようなものかもしれん。あるいは、もっと重大なことかもしれん。いずれにせよ、私は私の躰を爰京に任せよう」

「わかりました。ただ、侍医は別室に控えさせておきます」

爰京が、手の先と足の先に、浅く鍼を打ちはじめた。それで、冷えていた手足が、次第に温かくなってきた。

病は重いのかもしれない、と曹操は思った。躰が自分のものではない、という感じが強いのだ。それは不安であり、恐怖に似たものさえ伴っていた。

それでも、躰が温かくなると、再び眠くなってきた。

もっと早く、休むべきだったのか。爰京には、そう勧められていた。その口調も、めずらしく厳しいものだった。

しかし、休むというのがどういうことか、曹操にはわからなかった。鄴へ戻り、館の奥で女たちに囲まれる。そんなことをすれば、頭痛が襲ってくるだろう、という恐怖がある。それを休息だと感じたことが、いままでの人生で一度もなかった。

休息はむしろ戦場にあった。鄴や許都や、そして洛陽にいる時は、さまざまなことに眼をむけ、調べさせ、改めさせたりなにか言ったりした。思いそのものも、煩瑣だった。

戦場へ出れば、敵のことだけを考えた。闘うことが、生きることだった。闘っているかぎり、勝っても負けても充実していられた。それが、休息だった。政務の疲れ、なにもしないことの疲れ。それはいつも澱のように、躰の底に溜った。それが、戦場では消えていくのだ。

眠っていた。

深い眠りだったのかもしれない。眼醒めたのは朝だった。起きあがろうとして、右手が動かないことに気づいた。右足も、失われてしまったもののように動かない。

「殿下、なにか？」

「厠だ」

「ここで、お済ませいただけませぬか？」

「それは、できぬ。爰京、おまえが止めても、私は厠へ行くぞ」

「爰京が泣いております、殿下。動かずにやっていただけませぬか？」

「夏侯惇。私は自力では動けぬようだ。板を持ってきて、厠へ運ばせよ。それから先は、虎痴がいればよい」

夏侯惇も爰京も、諦めたようだった。数人の手で静かに板に移され、厠まで運ばれた。

許褚に支えられて用を足し、また板に載せられて寝室に戻った。

寝台に横たわると、水を少し飲んだ。

理不尽なものに襲いかかられている。曹操は、そう思った。頭痛が激しくて吐き続け、死の恐怖を感じた時も、早くそこから逃れたいと思うだけで、理不尽だとは思わなかった。いまは理不尽なものが、生命を持ったやわらかな存在として、躰の右半分に絡みついているという感じがする。

「私の病は重そうだな、爰京」

「右手も右足も、この爰京が必ずや」

「いや、私はこういう病を見たことがある。戻りはせぬな。動けぬまま、みんな惨(みじ)めに死んでいった。老人ばかりであった」

「戻ります、必ず。それに、殿下は頭がはっきりしておいでです。御自身の意志を、言葉ではっきり語られます」

自分の右半身にとりついた理不尽な生きものが、たやすく離れていくとは、曹操には思えなかった。もう、馬にも乗れぬのか、とふと思った。それは、戦場に行けないということでもある。

休もうにも、休むこともできない。戦場に行けないというのは、そういうことだ。

4

緊張が伝わってきた。

館全体が、多分緊張に包まれているのだろう。毎日、曹丕がやってきた。夏侯惇と爰京は、付きっきりの状態だった。許褚だけが、いつもと同じように寝室の外で控えている。

曹操には、緊張感はなかった。死がすぐそばまでやってきているのかもしれないとも思ったが、悲壮感もない。これまで何度も、死は曹操の頰を撫でた。また来ているのか、と思うだけである。

一日に二人だけ、幕僚の中から見舞いを許された者がやってきて、短い言葉を交わした。顔がわからない者がいるのではないかと思ったが、そういうこともなかった。細かい質問まで、その気になればできた。

同じような病で倒れた人間を、何人か知っていた。躰が動かなくなるだけでなく、まったく言葉を喋れない者もいた。

自分の病状が軽いのか、それとも爰京の鍼がよかったのか。それにしては、周囲の者たちの表情は、みんな深刻である。

死ぬことを、曹操はあまり恐れてはいなかった。覇道は半ばである。まだ全土を統一してはいない。しかし、見果てぬ夢だという思いは、ほとんどないのだった。

長い旅だった。そして、面白い旅だった。

倒れて、八日が経っている。相変らず、用を足す時は、板で運ばせる。死ぬまで、それを続けよう、と曹操は思っていた。

水は、よく飲む。食物も、かなり口に入れるようになった。うまいとは思わない。

「夏侯惇。どこかで戦はないか？」

「ありませんな、殿下が寝ておられますので」

「戦があったら、その様子だけでも聞きたいものだ。私は、もう馬に乗れぬ。つまり戦場に赴けぬ。しかし、戦場にいる時よりも、よく見えるかもしれんぞ」

「殿下は、戦がお好きですなあ。しかし、よく負けられました」

「そうだな」

夏侯惇と喋っていると、あまり気持も昂ぶらない。昔から、そうだった。

「とうてい勝てぬ、とみなが思った戦では、私は勝ってきた」

「それが、不思議でございますな。絶対に勝てるだろうという戦には、負けたりされた」

「夏侯惇、私の戦のやり方を受け継ぐのは、誰であろうか？」

「さて、難しい御質問です。いまの将軍たちは、それぞれ自分のやり方を持っていますし、若い司馬懿が、殿下のような戦ができるとも思えませんし」

「諸葛亮孔明」

「あの諸葛亮が、殿下の戦を」

「寡兵では、こわいぞ。それを心するように、司馬懿に言ってやれ」

「蜀は、再び北進を考えるでしょうか？」

「まあ、呉といろいろあるだろう。しかし最後は、北進以外に生き延びる道はない。諸葛亮は、はじめからそれを考えている。荊州を奪回してから北進するのか、益州のみで北進するのか。そこのところは、劉備の決断に従うしかないであろうが」

そういうことも、寝ていると見えてきた。曹操が漢中から大軍を退いた時、蜀はしばらく動ける状況ではない、と思っていた。それが関羽の樊城攻めであり、蜀軍の主力の漢中集結だった。その報告を聞いた時、曹操は総身の毛が立ちあがるのを感じた。

全身の血をふり搾るような、果敢な戦闘態勢である。誰もが、しばらく休み国力をつける頃合だと考えた時、あえて戦に出てきた。まるで若いころの自分ではないか、と曹操は思った。

あのまま、呉との同盟が持続していれば、この国はどうなったかわからない。長安に出て、雍州と涼州を制したら、荊州は呉に譲った可能性もある。まさに、力が拮抗した天下三分ということだ。孫権はそこまで読みきれていなかったので、同盟を破ったのだと言える。

諸葛亮との手合わせは、漢中でやった。しかし、攻城戦のようなものだった。原野戦で対峙してみたいという思いが、いまだ曹操の気持の底にはある。

「微妙なところだな」

「なにがでございますか？」

「丕が、この国を統一できるかどうかがだ。国力はある。丕の資質も悪くない。司馬懿という側近にも恵まれている。しかし、なにかが足りぬ。人を魅きつけてやまぬ力とでも言おうか」

「殿下には、それがございます。殿下が長生きさえされれば、曹丕様はこの国を統一され、曹王朝を築かれます」

「私は、もう死ぬる時だ、夏侯惇」

「また、そのようなことを」

生きる気力をなくした、というわけではなかった。明日を生きるように、明日死ぬ。生きることと同じように、死も迎えられる。心境を言葉で言えば、そういうことだった。

これが、どこかの境地に達したことになるのか、ただ鈍くなっただけなのか、曹操にはよくわからなかった。

自分の死が、雄々しくもなく、美しくもなく、ただ衰えて土に還っていくようなものであることが、曹操にははっきり自覚できた。戦場以外での死は、すべて同じだという気がする。

「ひとつだけ、気にかかることがある、夏侯惇」

「ほう、それは？」

「私が死んだあと、丕が帝位を簒奪せぬか、ということだ。いまの帝は、迫れば帝位を禅譲するであろう。しかしそれでも、簒奪としか見られぬ」

「魏王をお継ぎになることは、よろしいのですね」

「仕方があるまい。ほんとうはそれも好ましくはなかった。私が、公、王と昇ったのがよくなかった。丞相のまま、天下の統一を目指すべきであった。それなら、劉備が漢中王になることもなかった」

「王と帝位とはまた違うものだ、と私は思いますが」

「同じだ。劉備が、なぜ漢中王と自ら称したか。いまの乱世で、王など誰でもなれるものだということを、天下に示したのだ。少々の力があれば、人に殿下と呼ばれるのはたやすいとな。朝廷が、さんざん勿体ぶってくれた王の位を、劉備はなんの価値もないものとしてしまった」

「ならば、帝位でさえ」

「丕が、帝になってみろ。すぐに劉備も帝となる。そして、多分孫権も。陛下と呼ばれる者が三名だ。これはもう、帝ではない。帝が不在のままで、乱世はさらに長く続くことになろう」

「それよりは、許都にまことの帝を擁立したままの方がよいと、殿下はおっしゃるのですな」

「大義名分は、常にこちらにある。帝さえ擁していれば」

「わかりました。殿下のお気持は、この夏侯惇がしっかり肚に収いこみました」

曹操は、眼を閉じた。話をして、疲れるということはない。誰もこみ入った話をしないが、そういうものでも苦痛は感じないだろう。ただ、眼を開けているのが、疲れる。たまらなく、目蓋が重たくなる。それで眼を閉じても、眠っているというわけではなかった。

眼を閉じたまま、さまざまなことを思い出した。宦官の家の出だということが、若いころは気になって仕方がなかった。近衛軍の校尉（将校）であったころ、同僚には袁紹や袁術がいた。名門の子弟である。気後れと反撥を同時に感じたものだ。できるかぎり、軍人らしく振舞おうとつとめた。それでも、袁紹の眼はいつも気になった。

考えれば、宦官の家の子だということが、自分に力を与えたのかもしれない。

人の気配がした。

眼を開けると、曹丕の顔が見えた。

「気分は悪くないぞ、丕」

「それはよろしゅうございました」

曹丕の眼の底には、いつも冷たい光がある。それは曹操にむけられる時も、変らなかった。まるで、いつ死ぬか測っているような眼だ、と曹操は思う。

「虎痴」

曹操が言うと、寝室の外に控えていた許褚が、黙って寝台のそばに立った。

「鈴を」

許褚が、鈴を鳴らす。

黒い影がひとつ、寝室に入ってきた。石岐に代る、五錮の者の頭である。五錮の者の構成はすでに四百名に達していて、あらゆる諜略や情報収集に当たっている。

「浮屠（仏教）を知っているな、丕？」

「はい」

「私は信者ではないが、浮屠を保護した。寺と呼ばれる義舎も、領内には建ててやっている。浮屠が、太平道や五斗米道のような組織にならぬかぎり、保護を続けよ。代償として、五錮の者が働いてくれる」

「私が、使ってもよろしいのですか？」

「おまえが使わぬと、五錮の者も困るであろう。浮屠のことだけ、しっかりと頭に入れておけ」

曹丕が、一礼した。

曹操には、なにもない。なにもない状態で死にたい、と思っていた。領土は、当然曹丕に譲る。すでに譲ったも同じだ。幕僚たちも、曹丕を主君として仰ぐことになる。

夏侯惇がいて、許褚がいる。この二人が、自分の死を見守っていれば、それでいい。

「病とは、厄介なものだ、丕」

「すぐに癒えられます、父上」

「そういうことではない。こうして寝ていると、さまざまなことを考えてしまう。ほとんどが、余計なことだ」

「私は、父上ともっと語りたい、と思っております。病が癒えられるまで、そうすることを耐えなければならない、とも考えています。父上の代理を数日やってみただけでも、どれほどの心労を抱えておられたか、身に沁みてわかりました」

「若いな、おまえは」

「まだ未熟です。痛切に、そう思います」

そういうことではない、という言葉を曹操は呑みこんだ。違う世界にいる。そういう気がしてきた。たとえば曹丕は生の世界にいて、自分はすでに死の世界にいる。

「あまり心配はしておらぬ、私は」

爰京が入ってきた。治療の時刻である。

曹丕が、一礼して退出していった。

一日一度、六カ所ほどに爰京は鍼を打つ。それ以上は、打てないと言った。両方のこめかみに一本ずつ。それから、動かなくなっている手足に打つ。手足の方は、打たれているかどうかもわからない。

「私の躰の右半分は、もう死んでおるのであろう、爰京？」

「手足が、動いていないだけです。そのもとは、頭の方にあります。そしてそこは、鍼を打ってよいというところではありません」

「あとどれほど、私はこうして生きるのだ」

「そんなことは」

　こうして病床に臥したまま、いつまでも生きていたくはなかった。戦場ならば、矢一本、戟のひと振りで死ねる。

「試してみるか、爰京？」

「なにをでございますか？」

「打ってはならぬところへ、鍼を打ってみるのじゃよ。それで私は死ぬかもしれぬし、劇的に回復するかもしれぬ」

「殿下、正直に申しあげますが、そこに打って回復する可能性が一分でもあれば、私は命を賭して打ちます。鍼を打つと、必ず死ぬ場所です。健康で、元気な者でも、死にます」

「罪人で、試してでもみたか」

　曹操は、眼を閉じた。こめかみに鍼が入ってくると、眼を開けていられなくなる。

　このまま眠ってしまおう、と曹操は思った。

5

畠を、作っていた。

小さな畠であるが、瓜が実っている。次はいつ収穫しようか、曹操は迷っていた。籠に一杯の瓜を、収穫したばかりなのである。

小川があり、その前に小さな庵があった。書物が積みあげてある。それは、気がむいた時に読むだけだった。詩は、のべつ作っている。土を耕している時、作物に水をやる時、小川で手を洗っている時。言葉が滞ることはなかった。流れるように口から詩が出てきて、虚空の中に消えていく。それでよかった。書きとめようという気は、起きてこない。書きとめた時、詩はもう別のものになっているという気がするのだ。

作物を作る喜び。生きることの喜び。詩にして、虚空に散っていくだけで充分ではないか。

喜びが、孤独なものであることが、はじめてわかったような気がした。人と共有できる喜びも、当然ある。しかし、ひとりきりの深い喜びもあるのだ。なによりも、言葉が流れるように出てくるのが嬉しい。聞いているのは、作物であり、小川であり、大地であり、蒼空だった。

「なにもいらぬな」

自分の呟きで、眼が醒めた。夢を見ながら、それが夢だとわかっていたような気がする。

「水を」

言うと、口に水の器が運ばれた。

厠へ運ばせ、用を足したあと意識がなくなったのは、一昨日だった。めまいのようなものだ、と曹操は思っていた。寝室で用を足してくれと爰京が泣いて頼んだが、曹操は聞かなかった。あれからも、板に載って厠へ行っている。

ただ、一昨日から、明らかに変化があった。寝ていても、また躰が浮くような感じに、しばしば襲われはじめたのだ。

「爪を切ってくれぬか、爰京」

「かしこまりました」

足の爪から、爰京が切りはじめる。手の爪を切り終えた時、曹操はまた全身が浮くような感じに襲われた。

爰京は、すぐにそれに気づいたようだ。

「慌てるな。落ち着け、爰京」

「殿下、喋られてはなりません」

「よいのだ。みんなも落ち着け」

夏侯惇と従者が四人いた。爰京の様子を見て、ただごとではないと思ったようだ。

「夏侯惇、丕を呼べ。いま建始殿にいる幕僚たちも」

この館に建始殿という名を付けたことを、曹操は思い出した。二、三日前から、それがわからなくなっていたのだ。鄴の館は、銅雀台という。それは、憶えていた。

また、全身が浮いた。明らかに、異変が起きていた。そろそろ来たのか、と曹操は思った。恐怖は、やはりまるでない。

寝室に、人が集まりはじめていた。それでも十五、六人で、入れる者を夏侯惇が選んだようだ。部屋の外には、もっと多くの者たちがいる気配だ。

「丕に申し渡しておく」

曹丕が進み出てきた。相変らず、眼の底の光は冷たい。この息子を、とうとう好きになることができなかった、と曹操は思った。

「天下は、まだ定まっておらぬ。私の葬儀は、簡素にやれ。任地にいる者は、そこで任務を全うさせよ。いつまでも、喪に服することはない。埋葬を終えたら、喪も明ける。それでよいのだ。埋葬の時の私は、平服でよい。剣以外に、副葬品を入れてもならぬ」

「心に刻みこみました、父上」

「おまえには、若い幕僚がついている。しかし、古くからいる者たちの知恵も、忘れるな。古い者たちの代表として、夏侯惇がいる」

喋るのが、少し苦しくなった。

曹操は、しばらく眼を閉じた。全身に、死がしっかりと絡みついてきている。狎々（なれなれ）しい女のようだ、と思った。

「夏侯惇、夏には気をつけよ。おまえは、暑さに弱かった」

「もう、汗も出ない老人でございます」

夏侯惇の声は、低く落ち着いていた。この声を聞くと、いつも心が鎮まった、と曹操は思った。

「父上」

「まだ死なぬ、丕。喋れる間に、伝えたいことを言っておくだけだ」

「必ずや、蜀（しょく）と呉（ご）を討ち、全土を統一いたします」

「慌てずにやれ。おまえには、まだ時が多くある」

眼を閉じた。曹植のことを口にしようと思ったが、やめた。曹丕は、曹植を殺そうとするだろう。生き残れるかどうかは、曹植の運と力にかかっている。

「虎痴」

「はい、殿。ここにおります」

「私が死んでも、おまえが後を追うことは禁ずる。許褚仲康として、自らの人生を生きよ。これは、私の望みだ」

許褚の眼が、曹操を見つめていた。

「言うことは、これだけだ。みんな退がってよい」

曹操は、眼を閉じた。

眠ったようだった。爰京がそばにいた。ほかには、夏侯惇と許褚。

「世話をかけたのう、爰京」

「私の、力が及びません。殿下のお躰には、死が入りこもうとしております」

「わかっている」

「無念です。なんのために、殿下のもとで修業させていただいたのかと思います。ここぞという時に、私の鍼はなんの役にも立ちません。無念です」

涙を流しながら、爰京は言っていた。

鍼を打たなければならないほどの苦痛は、躰のどこにもなかった。

夕刻だった。

眠ろう、と曹操は思った。その前に、爰京には言っておくことがある。

「今夜か、明日、私は眠ったままになるだろう。そんな気がする。眼醒めぬと思った時に、鍼を一本打ってくれ」

「それは」

「眠ったままで、いたくないのだ。これは、私の最後の頼みだ」

眼を閉じた。爰京がなにか言っていたが、それは言葉としては聞きとれなかった。

眼が醒めた。

朝になっている。

声を出そうとしたが、曹操は喋れなくなっていることに気づいた。

庭の方を、見ようとした。その意思を感じ取ったのか、爰京が曹操の頭を持ちあげ、庭の方にむけさせた。

冬の庭だ。枯れた色と、くすんだ緑だけがある。そこに、蝶が舞っていた。四つ、五つとそれが見えた。

夏侯惇、と呼ぼうとした。やはり、声は出なかった。

蝶が、舞っている。冬だというのに、どんどんと増えている。美しいではないか。

眼を閉じた。

土に還る時だ。そう思った。

生きてきた時が、次々に脳裡に蘇る。死ぬ時はそうなのだろう、と曹操は思っていた。しかし、蘇ってくるものは、なにもなかった。

すでに、済んでしまっていることなのだ。

思い起こして、なにを確かめようというのか。済んだことは、済んだことだ。後悔もない。喜びも、くやしさもない。充分に生きてきた。そう思うだけでいいではないか。

爰京が、湿らせた布で、口を拭った。それが心地よかった。

死も、こんなふうに心地よいものではないのか。最後に心地よい死があるからこそ、苦しくても人は生きられるのではないのか。

もう一度、あの夢を見たいと思った。畠を作っている夢。詩を吟じながら、作物を見ている夢。しかし、眠ってはいないのだ。

眼を開けた。

蝶の数が増えていた。そして眩しい。蝶が、光を発しているのかもしれない、と曹操は思った。土に還る前に、いいものを見た。光を発する蝶。

また、湿った布が唇に当てられた。

眩しい。しかし、眼は開いたままでいられる。もっと別の、懐かしいものが見えてくるような気がした。いつの間にか、眩しさもなくなっている。

「鍼を、打たせていただきます、殿下」

爰京の声がした。ほかの声は、聞えない。もの音も、聞えない。

土に還ろう。

自分の呟きさえ、曹操には聞えなかった。

めぐる帝位

1

曹操孟徳が死んだ。

一月二十三日。五日前のことになる。

孔明が、応累の手の者から知らせを受けたのは、明け方だった。孔明は、そのまま劉備の館に駈けた。

劉備は、眼醒めていた。それどころか、寝台に端座し、涙を流していた。

「すでに、殿のもとにも知らせが届いておりましたか」

「いや、おまえの声が遠くから聞えた時、曹操が死んだと思った」

「一代の英傑でありました」

曹操が、洛陽で病の床に就いたという情報は、すでに入っていた。かなり重い病だということも、わかっていた。

　それでも、死を予想することはしなかった。

　戦場で討つべき相手だ、と孔明は思っていたのだ。曹操孟徳を討ってこそ、蜀による天下統一は可能になる。曹操に勝たなければ、国の統一もできはしない。病で死んだら、曹操は勝者のままではないか。

「干戈を交え、討ち果したかった。痛切に、そう思うぞ、孔明」

「私もです。殿の思いとは、また違うものでしょうが」

「宿敵だった。それでいて、昔から私は曹操がほんとうには嫌いではなかった。曹操も、私を認めていただろうと思う」

　劉備は、まだ涙を流し続けている。

　黄巾討伐のころから、原野を駈け回り、同じ乱世を生き抜いてきた。敵といえど、孔明には窺い知れない思いがあるのかもしれない。

「これによって、わが国のなにかが動くというものではありません」

　孔明が言うと、劉備はまだ涙を流し続けながら頷いた。

　しかし、魏は曹操という主柱を失ったのだ。後継の曹丕にどれほどの力があるかは、まだわからない。いずれにせよ、魏は当面混乱して動けないだろう。

その機を、劉備がどういうふうに見るのか。呉を攻める、いい機会だと思うのか。それとも、再び魏と闘う時を与えられたと感じるのか。

待つしかなかった。劉備が冷静に考えられるのは、しばらく経ってからだろう。

「私はこれにて失礼いたします。劉備が冷静に考えられるのは、しばらく経ってからだろう。

「私はこれにて失礼いたします。朝になれば、曹操の死も、幕僚が知ることになります。軍議は開かれるべきでしょう」

孔明は退出し、館に戻った。張飛と馬良には、使者を出した。

夜が明けると、幕僚が続々と劉備の館に集まりはじめた。その前に孔明の館に寄り、曹操の死の真偽を確かめていく者もいる。

成都近辺の幕僚がほぼ揃ったころ、孔明は馬謖を伴って軍議にむかった。

「曹操孟徳が、洛陽で病没した。間違いのない情報だ」

劉備の声で、軍議の席はしんとした。

「手強いが、しかし惜しい敵を失った、と私は思っている。敵であったり味方であったりしたが、黄巾討伐のころよりこの乱世を生き抜いてきた、英雄の名にふさわしい男であった」

張飛は、腕を組んで眼を閉じていた。

「後継は、曹丕だという。しばらく、魏は動けまい」

この機に荊州攻めと劉備が言い出したら、止めるしかなかった。魏は、蜀に対して動けないが、呉に対しても動けないのだ。呉は合肥の戦線の兵力を、荊州に回してくることもできる。

「いまは、ひたすら兵を養おう。国に、力をつけよう。漢中での総力戦で、すべてが疲弊している。はじめての大戦で、民も疲れている。曹操を悼みはするが、天が蜀に与えた時でもあると思う」

この決定でいい、と孔明は思った。関羽と、そして荊州を失った傷手から、蜀はまだ回復していない。

「巴東、巴西で、孟達や魏の息のかかった豪族が、不穏な動きを見せている。これは討伐してしまいたい。わが軍から裏切りを出すのは、一度で充分だ。すべての芽を、ここで摘みたい」

文官から、いくつかの報告があがった。税の納め方が悪い豪族の名である。孔明の手もとには、応累の手の者が調べあげた、荊州喪失後の、豪族の動きがある。両方を照らし合わせれば、誰を討つべきか自然に浮かびあがってくるはずだ。およそ十五名。兵力にして六千というところか。

中小の豪族の中には、帰順はしたが見せかけだけという者がまだいる。つまり日関羽が死んだことにより、馬脚を現わしたというところだ。

少し締めつけるだけでいいが、ここは徹底してやろう、と孔明は思った。豪族にも、叛乱はおろか、日和見さえも許されないのだということを、身をもって知らしめておく必要がある。つまり十五名は、見せしめでもある。漢中争奪に力を注ぎすぎて、そのあたりは確かに甘くなっているのだ。

「巴東、巴西は、ただちに討つべきだと思います。叛乱ではなく、日和見の者たちもです。巴東、巴西の豪族がこぞって兵を出していれば、白帝に集結させられた兵は二万を超えたと思います。王平が二万を率いて白帝にいるとなれば、上庸、房陵にもしっかり睨みが利いて、孟達の裏切りも防げたはずです。実際には、三千しか白帝に配置できませんでした」

「孔明の申す通りだ。私は成都で兵を集めて漢中にむかっていたが、巴東、巴西から参じてくる者は少なかった」

「誰を討つべきかを、早急に決めます。いまは、国内をひとつにかためるべき時です。厳しすぎるほど厳しく、やろうと思います」

劉備が頷いた。

人は、少なくなっている。地方に赴任している者は別として、まず関羽がいない。

黄忠も、漢中戦のあと病で死んだ。文官では、孫乾、簡雍、法正が病である。麋竺は、麋芳の件で血を吐いて憤死した。

しかし、馬良がいた。その下に、李恢、蔣琬という、有能な者が出てきた。軍人では、張嶷、張翼、王平という若い部将が育ってきているし、李厳、厳顔、向寵、雷銅と、実力を見せはじめた者もいる。

しかし関羽がいないだけで、やはり厚みに欠けた。

軍議が散会したあと、孔明は張飛と残り、劉備の居室へ行った。

「今年の税は、しっかり取り立てたい、孔明。多少、無理をしてもだ」

劉備が言った。

来年は荆州を攻める、と劉備は肚を決めたのだろう、と孔明は思った。張飛の肚の内も同じはずだ。

いまのままでいけば、劉備の直轄軍が四万、張飛軍が三万で、七万はいる。それに若い将軍を加えると、十万の編成はできるだろう。益州の守備は、趙雲がいる。それに魏延、馬岱と揃っているので、漢中から東にむけて、上庸、房陵の孟達には、強い圧力をかけることができる。

荆州回復は、不可能ではない。

孔明の戦略は、やはり雍州と涼州を併せるところからはじまる。そのためには、荆州から北へむかう圧力が、どうしても必要なのである。

雍州、涼州にこだわりすぎていないか。それは、何度も自問したことだった。蜀という国家を、守り抜く。それならば、雍州、涼州は必要ない。天険を利して、小さいがまとまりのいい国を作りあげればいいのだ。

しかし、それは劉備の夢でも、自分の夢でもなかった。天下統一。漢王室の再興。それは原野に駈け出した時からの劉備の夢であり、隆中の草廬を出た時からの自分の夢でもあった。

酒が運ばれてきた。

「一代の英雄のためにだ」

劉備が言った。孔明と張飛は、黙って杯を傾けた。

「大きなものを、心の中からひとつ失った。そんな気がする」

劉備は、もう涙を流してはいなかった。それ以上、曹操の話も出てこない。

「張飛殿もおられるところで、一度訊いておきます」

孔明が言うと、二人とも杯を置いた。

「お二人は、荆州を攻められるおつもりですか？」

「攻める」

しばらくして、劉備がそう言った。

「私と張飛と二人でだ。荊州を回復するというより、孫権を討つ。これは、戦略がどうのということではない。孫権を討たないかぎり、私たちは死んでいるのだ」

「そうですか。やはり、攻められますか」

「私と張飛の軍は、調練に調練を重ねている。精兵の中の精兵に仕あがっている。まず江陵を奪り、荊州を回復し、孫権を討つ機会を狙う。その間に北へ行けというのなら、行こう。しかし、孫権とは結ばぬ」

「わかりました」

「三人でひとりであった。だから荊州で死んだのは、私たちでもあるのだ」

「来年には、十万の遠征が可能になります」

「行けと、孔明が言うのか？」

「本心を申しあげると、私は孫権の首が欲しいわけではありません。私の戦略の甘さが、関羽将軍を死なせた、と思っておりますから。しかし、私はやはり雍州と涼州が欲しいのです。それが、天下統一の足場になります」

「雍、涼二州を奪るためには、やはり荊州からの牽制が必要か」

「それが最善の策です。つまり江陵を奪回するというところまでは、お二人がやろうとされていることと、私の戦略は一致します」

「孔明殿」

張飛は、かすかに顔をうつむけていた。声は低く、卓の上で大きな手が握りしめられていた。

「俺は、ただ孫権を討ち果したい。それだけなのだ」

「いきなり討ち果さず、まず江陵を奪回するというのは、殿だけのお考えですか？」

「いや。まず江陵を奪らねばならんと、俺も思う。たやすく討ち果せる相手ではないことは、俺にもわかっているさ」

「ならば、荊州を奪回し、揚州を攻めましょう。ただし、それだけでは駄目です。残りの軍で雍州に進攻します」

「魏と呉を、同時に相手にするというのか？」

「馬鹿げていますか？」

「孔明殿らしくない。魏と呉を同時に相手にするなど」

「賭けです。綿密な作戦もありません」

「待て、孔明」

「賭けも、時には必要なのです。いくら緻密に作戦を組み立てようと、ひとりの人間の裏切りで水泡に帰します。呉を攻めながら、魏とも闘うと、誰が考えますか。そこに、私の狙いもあります」

「しかし、兵力が足りぬ。七万を荊州攻めに割くとして、雍州進攻にどれだけの兵が残っているというのだ」

「馬超殿がおります、殿。勢いがあれば、涼州兵を集められます」

「もうよい」

苦笑して、劉備が言った。

「孔明は、そのまま揚州を攻めさせたくはないのだな。揚州に攻めこみ、たとえ孫権を討ち果したとしても、覆い被さるように魏の大軍が襲ってくる。つまり、蜀も潰される。魏に、天下統一をさせるために、揚州を攻めるようなものだ、と言っているのだろう」

「それならば、いっそ乾坤一擲の賭けを」

「孔明殿、どういう状況なら、揚州を攻められる？」

「益、荊に加え、雍、涼二州があれば。雍、涼二州を奪ることとは、孫権を追いつめることでもあります。孫権は、魏と結ぼうとするかもしれません。それもいいではありませんか。魏とも闘わなければならないのですから。魏と呉を同時に相手にするにしても、四州の力をもってすれば、賭けの要素はずっと少なくなります」

張飛が、続けざまに杯を呷った。孔明は、じっとそれを見ていた。

「孫権を、必ず攻めさせてくれるのだな、孔明？」

「雍、涼二州を奪ったら、即座に」

「それかな」

劉備が、腕組みをして言った。

「俺は、孔明殿に丸めこまれたような気がする。ただ孫権を討ち果すために」

「待て、張飛」

劉備は、眼を閉じていた。

「われらは、乱世の中を生き抜いてきた。討ちたい相手をたやすく討てぬことぐらい、知り尽しているはずだ。何年かかろうと構わぬ。孫権を必ず討ち果せる方法を取ろう。それまで、ひたすら復讐の剣を磨けばいい」

「大兄貴、小兄貴が待ちくたびれますぜ」

「荊州、揚州と攻めて、孫権をたやすく討ち果せるか、張飛。乱世とは、そんなに甘いものだったか？」

「俺は」

「孫権を討ちたい。それは私もおまえも同じだ。そして、必ず討たねばならぬ。討とうとするだけでは駄目だ。必ず討つためには、何年かかっても仕方があるまい」

張飛が、杯に酒を注いだ。

「来年に荊州攻め。それは、しっかりと頭に入れました」

孔明は、腰をあげた。劉備に一礼し、部屋を出た。

館で、馬良が待っていた。

「やはり、来年には荊州攻めだ、馬良」

「そして、そのまま揚州ですか？」

「それは、思い止まっていただいた。二人とも、乱世を生き抜いてきたのだ。戦がたやすくいかぬことぐらい、誰よりもわかっている」

「では」

「荊州から、北を牽制する。そして漢中から雍州へ進攻」

「南は、やはり駄目ですか？」

「言い出す余地もなかった。理屈ではないのだ。戦略すらも超えた思いなのだ。ああいう思いを前にすると、戦略など些細なことだと感じられてしまう」

馬良が、白い眉をちょっと動かした。

「孔明殿、荊州攻めはうまくいくのではないでしょうか。張飛殿の三万は、一万が騎馬隊で、大変な力を持つようになったようです」

「うまくいく。殿と張飛殿の組み合わせが、また絶妙なのだ。奪回したあとは、民政の担当として馬良がいるし」

「すると、もう一度最初の戦略をなぞることになりますな。雍州進攻軍の指揮は、孔明殿が執られますか？」

「趙雲将軍が適任だろう。張飛、趙雲の二将軍がいるかぎり、全軍はまだ二つに分けられる」

馬良は、今年の税がどれほど集まるか、という話をはじめた。それが、来年の荊州進攻の戦費の、かなりの部分をまかなう。

「巴東、巴西ですが」

「張飛殿に行って貰おう。三千ほどの騎馬隊だけでよかろう。残酷な戦になろうが、徹底的にやって貰うことにする」

実戦をやることで、張飛の気分もいくらか楽になるかもしれない。

「ところで、どの豪族を処断するかだが」

張飛の三千騎が行けば、相手が六千であろうが七千であろうが、処断という感じにならざるを得ない。それほど、異質で精強な部隊を、張飛は作りあげつつあった。成都近辺に残留する部隊は、陳礼が指揮することになるのだろう。隆中で、孔明に毎日のように食事を運んできていた陳礼が、いまでは人を圧するような校尉（将校）になり、張飛の副官を立派につとめていた。

「ここに、十五名の豪族の名があります。私が処断した方がいい、と判断した者たちです」

名を列記した紙片を、馬良が差し出した。

「これでは、連合すれば一万を超えるかな」

孔明が考えていなかった、有力な豪族がひとり入っている。

「これに、孔明殿が調べあげられた者を加え、張飛将軍に伝えられればいいと思います」

「わかった。預かっておこう」

「それにしても、蜀というのはおかしな国ですね。漢王室の再興を叫びながら、孫権ひとりを討つことにこだわる。私は、嫌いではありませんが。男とはそういうものだ、という色がはっきり出た国ではありませんか」

「それが力であり、また弱点でもある」

「とりもなおさず、殿の弱点ですな。曹操という男は、弱点が見えなかった。それで、私はどうにも信用できないような気がしていました」

「曹操にも、弱点はあったのだろう。私が知るかぎりで、弱点がなかったのは、周瑜ぐらいだ。しかし、短命だった」

「もうひとり、弱点のない人を知っていますよ、私は。孔明殿、あなたです」

「私がどれほど弱点だらけの男か、聞きはじめるとひと晩酒を付き合うことになるぞ」

「聞いてみたいものです。しかし、巴東、巴西に、あえて張飛将軍を行かせなければならないのですか、孔明殿？」

「そうだ。あえてだ」

「蜀軍の強さがどれほどのものか、豪族たちの骨の髄にまで叩きこんでおこうということですか」

「強いと言っても、尋常なものではない。二度と、闘いたくはない。決して敵対しようとは思わぬ。それほどの強さだと、蜀全土に知らしめる。そのための張飛軍だ」

それに、張飛は戦場に出た方がいい。調練だけだと、内に内にと籠っていくことになる。どこかで、思念も闘争心も、外にむけた方がいいのだ。

劉備と張飛の荊州奪回は、思いのほかうまく行くかもしれない。二つの軍の性格が、まるで違うのだ。劉備の四万は、重厚な、腰を据えた闘いをするだろうし、張飛の三万は、三つに、あるいは六つに分かれ、縦横に原野を駈け回る。調練を見たかぎりでは、七万が十五万の戦力に匹敵していると思えた。

「漢中に蓄えた兵糧などはそのままにして、新しく白帝にも兵糧を集める。それは、船で運べるようにする。おまえの仕事だ、馬良」

「わかっております」

馬良の白い眉が、上下に一度動いた。

2

簡素に済ませた葬儀の三日後に、曹丕は喪服を脱いだ。

まだ、魏は前王に対する哀悼一色に覆われているが、ここがすべてを固める時機だと曹丕は判断した。

まず、夏侯惇をはじめとする、老臣たちに会った。魏の中枢が、いまは鄴から洛陽に移っていて、曹操の代からの老臣は、各地に赴任している将軍たちを除いて、ほとんど洛陽にいた。

はじめに、三公を決めた。役人の制度を新しくしようと思っている。それで、政権の中枢は乱れることはなかった。賈詡、華歆、王朗である。それは状況が落ち着いてからでいい。いまは、父曹操の死の衝撃を、魏から消してしまうことである。軍にも、多少の乱れは出ていた。

曹丕は、夏侯惇を呼んだ。三公の上に位置する、大将軍に任ずるためである。夏侯惇は、固辞した。眼には精気が失せ、葬儀のあと不意に老いたという感じだった。役には立たないだろうが、軍の象徴としてはまだ利用できる。

「除隊を願い出ている青州兵が、かなりおります」

「それと、おまえの大将軍就任と、なんの関係がある？」

「殿下も御存知でしょうが、亡き武王殿下（曹操）が、乱世に飛躍できたのは、青州黄巾軍百万を降伏させ、その精鋭を麾下に加えてからでございます。青州の太平道はなくなりましたが、そのころの兵は、まだ軍に残っております。亡き武王殿下に忠誠を誓った者たちです」

夏侯惇は、青州兵から除隊の陳情を受けているのかもしれない、と曹丕は思った。つまり、大将軍就任の条件を出し、駈け引きをしている気配があるのだ。私心はない老将軍だった。二つ三つの条件は呑んでも、大将軍にはしておきたかった。とにかく、人望はある。

「青州兵のことは、私も知っている。すでに老兵が多い。しかるべきものを持たせて、退役させてやれ。名誉の退役として扱っていい」

名誉の退役となると、太鼓を打ち鳴らして見送る。

「それから、殿下。帝にはおなり遊ばされませぬように」

「なんと、帝だと」

いまの帝から、禅譲を受けるというのは、すでに曹丕の視野に入っていた。父が達しなかった位。それは、帝だけなのだ。

面倒なことになる、と曹丕は直感した。夏侯惇は、言い出したら譲らないだろう。

「なにも、いつまでもとは申しません。この国を統一されたら、殿下が帝です。亡き武王殿下も、統一ののちに曹王朝と考えておられました」

曹丕は、眼を閉じた。いま大事なものはなにか、と考えた。軍は、青州兵が退役を願っているような状態にある。緩んでいくまま、放置はできない。

「どうされました、殿下？」

「途方もないことを聞くものだ。そう思っていた」

「帝におなり遊ばされるのは、統一ののちと思ってよろしいのですか？」

「統一してから、考えることにしよう」

夏侯惇が、頷いた。

これ以上、言いたいことはないようだ。軍は、大将軍として夏侯惇を頂点に仰ぐことになる。

「若い将軍たちには、お会いになっておられますか、たとえば司馬懿とか？」

「魏を支えてきたおまえたちと、話をするのが先であろう。決定するものを決定してから、それぞれに仕事を与えていく」

夏侯惇は、曹植のことは言い出さなかった。

曹植は、いま青州臨淄にいる。それは父が決めたことだった。葬儀が終るとすぐに帰ったが、すでに監視はつけてある。

「言いたいことがあったら、なんでも言ってくれ、夏侯惇。これからもだ」

頭を下げ、夏侯惇は右眼を何度か瞬かせた。左眼の黒い眼帯は、幼いころから見馴れたものだった。矢が突き立ち、それを引き抜いたら目玉まで付いてきた。親から貰ったものだと叫び、目玉を自ら食らって敵へむかった。伝説として語られていることだった。そういう類いの伝説が、曹丕はあまり好きではない。父には、そういう話を喜ぶところがあった。

夏侯惇の大将軍就任で、ほぼ体制は整った。

曹丕は、はじめて司馬懿を居室に呼んだ。父が死ぬ前から、司馬懿とは綿密に話し合っていた。人をどう配置するか。組織を、どう変えていくか。そして、曹植派と呼ばれている者たちを、どう扱っていくか。

父の死の直後から、司馬懿は動いていたはずだ。

「丁儀を放逐する理由が、なにか見つかったか？」

「ありません。左遷されるのがよろしいかと思います。弟の丁廙にも、これといったものは見つかりませんので」

丁儀は、曹植を後継に推した勢力の中心人物だった。いまだに臨淄の曹植に近い。

「左遷したところで、大きな失敗はしないかもしれぬな」

「いまの地位の丁儀が扱いにくいだけで、左遷されれば、理由はなんとでもつけられます。罪を被せて、投獄するのがよろしいでしょう。一族は、ことごとく誅殺いたします」

「早くやれ。夏侯尚と親しい。部将を巻きこむと面倒だ」

夏侯尚は、漢中で戦死した、夏侯淵の甥である。叔父の、軍での声望を受け継ぎつつあった。

「丁儀の方は、殿下の御下命があったので、すぐに終ります」

曹植をどうするのか、と司馬懿は訊いているのだった。落度といっても他愛ないものが多く、死罪に問えるようなものではなかった。わざわざ、他愛のない落度を重ねている、とも思える。幼いころから、そういうところはあった。大きな悪戯を隠すために、小さな悪戯をやってみせるのである。

曹丕には、それがよく見えたが、母にはわかっていなかった。曹植の面倒なところは、母を同じくする弟だ、ということだった。曹植を殺して悲しむのは、曹丕の実の母でもある。

「弟の方は、私がよく言って聞かせる」

一枚ずつ衣を剝がすように、曹植からは力を奪っていくしかないだろう、と曹丕は思っていた。本心では、殺したい。しかしそれをやれば、不孝の誹りをまぬがれないだろう。一枚ずつ衣を剝がして、生きながらの死に追いこむしかなかった。曹植の命さえあれば、母の嘆きも決定的なものではないはずだ。

「許都は、少し待て、司馬懿。夏侯惇が、面倒なことを言いはじめている」

「それは、いつまでも待てます」

夏侯惇がなにを言っているのか、司馬懿は訊かなかった。やらせようとしていたのは、帝位禅譲のための朝廷工作である。

「ほぼ、終ったかな。あまり時をかけずに済んだ」

父が死ぬ前から、司馬懿と密かに話し合っていたので、すべてを迷うことなく決めることができた。部将は任地を離れるな、という父の遺言もあった。だから、兵力の配置の乱れもまったくない。

「荊州の情勢は、どうだ？」

「江南は、ほぼ呉が手中にしています。気にかけておられた孟達ですが、こちらに靡くはずです」

上庸、房陵に展開している孟達軍は、いまだ両端を持していた。さすがに、劉璋を裏切り、劉備を裏切っただけのしたたかさはある。いまならば、魏と呉のどちらも選べる状態なのだ。呉に靡けば、荊州の北部にかなり食いこまれることになる。

「蜀は、ひたすら内を固めようとしているように見えます。関羽の死から立ち直るのに、いま少し時を要するでしょう。ただ、劉備と張飛が、かなり精強な軍を成都近辺に集め、激しい調練をくり返しています。荊州奪回を狙っているように、私には思えますが」

「蜀と呉が、いつまでも争うとは思えぬが。支え合って立っている国だ。どちらかが潰れたら、もはや魏の敵ではなく、天下統一が成ったも同じではないか」

「諸葛亮がおります。意表を衝かれることは警戒しなければなりません」

孫権は、一応臣下の礼を取っているものの、合肥の戦線は維持し続けていて、隙があれば奪ろうとしてくるだろう。

「魏が、荊州をすべて奪る、というのが天下への早道だと、前から思っていたのだが」

「そのために、雍、涼二州の安定が必要です。伝統的に、中原に反抗する土地柄ですので」

「少しずつか。民政を整えるしかないな」

「特に、涼州は辺境です。おまけに馬超が劉備の幕下にいます」

領内を、締め直す必要はあった。関羽が北進してきた時、呼応して叛乱を起こしたのは、荊州北部の豪族だけではなかった。許都の近くまで、叛乱は及んでいたのだ。

「父上は、関羽を罠にかけたやり方を、あまり快くは思っておられないようだった」

「しかし、効果的な策であることは、お認めになりましたろう。兵力の損耗もなく、関羽を討てたのですから」

「父上の不思議なところが、そこだった。相手が関羽だったから、効果的な策より、正面からぶつかりたいと思われたのだ」

「私は、疎まれていたようです」

父は、確かに司馬懿を嫌っていただろう。それ以上に、この自分を嫌っていた。正式に後継と決定した時も、苦い表情を崩そうとはしなかった。

「将軍も、少しずつ若返らせなければならんな」

話題は、方々に飛んだ。すでに、国の姿は整っている。あとは、気づいたところをいじっていくだけだ。張遼、張郃、徐晃の三将軍は、まだ使えるだろう。経験というものも、戦には貴重なのだ。

「問題は、許褚の軍三千騎の扱いだが」

「近衛軍です」

「それ以外にないか」

「前王に忠誠を誓っていた者が、殿下にも忠誠を誓う。これは大事なことです。待遇は上げ、しかし三千騎は増やさぬようになされればよろしいでしょう。近衛軍の第二軍は必要ですが、許褚よりずっと下位の将軍に指揮させるのがよいと思います」

「いずれ、許褚も老いるか」

「遠からず、近衛第一軍は飾りになります」

「若い校尉（将校）の中から、次代の将軍の日星をつけておけ。そして、経験を積ませるのだ」

「すでに、はじめております。殿下の治政は、滞りなく滑り出したと、私は思います」

司馬懿とは、気が合った。曹植と後継の争いをした時も、司馬懿の助言で、群臣の誰をも近づけなかった。結局、取り入ってくる者をみんな受け入れた曹植が、後継の資格なしとされたのだ。父は、明らかに曹植の方を愛していた。その明るい性格を、詩才を、愛していた。それについて、曹植だけではなく、父まで憎んだことがあるほどだ。

しかし父は、心の中にある愛情だけで、後継を決めはしなかった。そこは、司馬懿が読んだ通りだった。

「お互いに、前王には嫌われていたな、司馬懿」

「私は、狼顧の相と言われました。狼が、逃げながらふりむいた時の相だそうです」

「しかし、こうして魏を手中にした。狼顧の相の手柄でもある」

「殿下は、天下統一を果されます。微力ながら、私もそのことに全身全霊を傾けます。前王には、無理に仕官させられたというところがあるのですが、いまは仕官していてよかったと思っております」

司馬懿には、心を許すな。父はそう言ったことがある。曹丕は、父に心を許さなかった。いつも、敵の前に立つような気持で、接してきた。

「酒でも飲もうか、司馬懿」

言って、曹丕は従者を呼んだ。

3

三千騎で、巴西郡に入った。

一万騎の中から、張飛が自ら選んだ三千騎である。移動は迅速だった。白帝には王平の部隊がいて、益州からの出口を塞いでいる。漢中には、魏延がいる。処断と孔明に名指しされた豪族十七名は、巴西郡に集まるしかなかった。険しい山岳部を越えれば孟達のいる上庸だが、そのためにはすべてを捨てていくしかない。

孟達は、支援を約束しているらしい。それを頼りにひとつにかたまっているようだが、孟達に動きはないという。言葉だけの支援なのだろう。

「孟達が、出てくれば」

廖化は、出発した時から、ずっとそう言い続けていた。関羽の部将だった男だ。孫権の裏切りが明らかになった時、房陵まで援軍を求めに駈けた。孟達はすぐに出動すると言いながら、その夜、宿舎にいた廖化を襲ったのだ。気配を察して宿舎の外で寝ていた廖化は、かろうじて房陵を脱出し、江陵にむかおうとしていた途中で、関羽の死を知った。

放っておけば、山越えをして上庸を攻めかねない。それほど、孟達の裏切りは樊城攻めの勝敗を決したのだ。孟達が動いてさえいれば、樊城は落ちた。そのまま、勢いで宛まで落としたろう。そして、蜀本隊は長安を奪り、いまごろは雍、涼二州の平定に忙しかったはずだ。

確かに、裏切りの才能はある、と張飛は思った。劉璋を裏切った時も、最も効果的で自分を高く売れる機会を狙いすましていた。関羽への裏切りも、勝敗が決するというまさにその時だった。

斥候から報告が入った。

巴西郡の中央に集結した叛乱軍一万数千は、張飛軍が三千と知って、迎撃の態勢を整えつつあるという。

十七名の豪族は、全員殺す。有力な部下三十名ほどの首も刎ねる。孔明との申し合わせで、そう決まっていた。益州全域の豪族に対する、見せしめでもある。

戦ではなく処断だ、と孔明は言った。つまり、一撃で打ち砕き、速やかに済ませろということだ。蜀軍の三千は、一万二万の叛乱軍など歯牙にもかけない。呉にも魏にも、それを知らしめておく。

孔明は、張飛に出動を命じてきた。地理的には、漢中の魏延でよかったし、白水関の馬超でもよかったはずだ。

よく読んでいる。張飛はそう思った。関羽の死を知ってから、調練以外になにもやることがなかった。三日間の、不眠不休の調練までやった。そうしていないと、息が詰まり、江陵まで駈けていってしまいそうだった。表面には出さなかった張飛のその感情を、孔明はしっかりと読んで、戦を命じてきた。与えられた戦と言っていいだろう。ぶつかり合いをすることで、気持はいくらか関羽の死からそれる。劉備が言う通り、関羽の死は、自分の死なのだった。孫権を討ち果さないかぎり、死ぬこともできはしないのだ。

「孟達が出てきたら、私は」

廖化が、また言った。

「気持はわかるが、孟達が来ると思うか。自分が煽動した豪族たちを助けに来るのなら、はじめから裏切りなどもせぬ」

「そうですね」

「おまえは、よく成都まで戻ってきた。おまえがいなければ、孟達の裏切りの状況も、よくわからなかった。ここで、命を粗末にはするな」

「関羽様は、江陵城でよく花に見入っておられました。郭真という従者が育てた花です。関羽様は、部将としての私には御不満だったでしょうが、そんなふうにやさしいところがあって、あまり強くは言われませんでした」

「花か、小兄貴が」

ありそうなことだった。武骨なだけではなく、学問もよくやった。信義こそが男の命だと、まだ十七歳だったころの張飛に教えたのも、関羽だった。しかし、厳しくされると、必ずその後にやさしさがあった。

敵に、二十里（約八キロ）のところまで進んだ。一万数千は、鶴翼に構えているようだ。数を恃んだ布陣である。

全軍を駈けさせた。

鶴翼の破り方は、両翼から攻めて、中央の本陣を裸にするのが定石である。しかしそれは戦で、処断のやり方ではなかった。

五里（約二キロ）のところで、張飛は全軍を三隊に分けた。敵の陣が見えてくる。覇気は漲っているが、うわついたものに感じられた。

「俺が、中央を突っ切る。残りの二隊は、両側から包みこめ。当たる者は打ち倒し、一兵も逃してはならん。しかし、無理に殺すこともない」

殺すべき者は、決まっている。それ以外は、できるだけ生かしておきたかった。そのまま、蜀軍に加えられる兵である。

久しぶりに、争闘の血が張飛の全身に巡りはじめた。招揺も、それを感じて気を発している。

一里（約四百メートル）。張飛は、蛇矛を摑んだ右手を差しあげた。叫び声をあげる。招揺が駈けはじめる。本陣にいきなり突っこまれて、敵は明らかに動揺していた。

ぶつかる。蛇矛のひと振りで、五、六人は打ち倒した。招揺は、駈け続けている。長い二本の線になった一千騎が、それぞれ左右の敵を打ち倒しながら、しっかりとついてくる。

本陣の旗。招揺は、原野を駈けるように、敵中を駈けていた。突き抜ける。反転。一千騎が横に拡がる。調練の成果は出ていた。

本陣を断ち割られた敵は、もう算を乱していて、闘う状態ではなくなっていた。方々で、武器が放り出されている。両側からも、包みこむように騎馬隊が締めあげているのだ。

旗が伏せられ、降伏の意思表示が出た。

「武器を置かせ、二里移動させろ」

騎馬隊は迅速に動いた。囲いの中に、羊の群を追いやるようなものだった。

十七名の豪族が引き出された。

「これは処断だが、武人らしく死なせてやろう。武器を持たせろ」

降伏をしたではないか、という声がひとつあがった。

「降伏をすれば、裏切りが許されるのか。蜀領内での叛乱は、裏切りと見なされる。本来なら打ち首だが、闘って死ぬ道を許してやっているのだ。相手は、この張飛ただひとり。それを十七名で打ち破れば、助かるのだぞ」

十七名が、思い思いに武器を執った。

それを見届けてから、張飛は招揺の腹を蹴った。三つ、四つ。首が飛んでいく。十七の首が飛ぶまで、招揺は三度駈けただけだった。原野に、血が匂い立った。敵も味方もしんとしている。

それぞれの部将だった三十名が、次に引き出された。

「張苞、関興、廖化。一度ずつ駈けよ」

張飛が言うと、まず関興が父親譲りの青竜偃月刀を振りかざして駈け、首を三つ落とした。張苞が四つ。廖化が三つ。

「まだ甘い、おまえたちは」

二度駈けただけで、張飛は残りのすべての首を飛ばしていた。

「これで処断は終りである。これ以上、誰ひとり咎めたりはせぬ」

それだけ言い、張飛はそこを立ち去った。五里（約二キロ）ほどの丘の麓に、幕舎を張らせる。降兵の選別をして、蜀軍に組み入れる。その作業が、丸一日はかかるだろう。

「一名が、腿に負傷しております」

廖化が、損害の報告に来た。一名でも負傷者が出たのが、張飛には不満だった。

「これほどの、これほどのすさまじい騎馬隊を見たのは、はじめてです」

「俺は見た。もっとすごい騎馬隊をな。俺の騎馬隊など、あれと較べれば大人と子供だ」

「そんな」

「黒ずくめで、黒い一頭のけもののような騎馬隊だった。呂布奉先。乗っていたのは赤兎。小兄貴の赤兎の父だ。あの騎馬隊を思い出すだけで、俺の全身の毛が立つ」

「呂布奉先」

「廖化、おまえはここに残れ。やがて辺容も来る。関羽雲長の下にいたおまえたちで、巴西、巴東をしっかり固めろ」

「張飛将軍は？」

「三千を連れて、明日成都へ帰る。白帝にいる王平と、兵を二分して鍛えあげろ」

「荊州に攻めこむ時は、どうか私に先鋒をお申しつけください」

「甘えるな。おまえが、どういう兵を育てあげているかだ。俺が弱兵だと見たら、先鋒どころか、連れてもいかん。もういい、行け。王平にも、同じことを伝えておけ」

廖化が出ていくと、張飛は幕舎の中でひとり腕組みをした。

戦というほどの、戦ではなかった。それでも、久しぶりに血飛沫を浴びた。いまは、まだ乱世なのだ。血飛沫を浴びて生きるのが、男の生き方だろう。必ず、孫権の血も頭から浴びてやる。

「関興、張苞」

大声で呼んだ。すぐに返事があり、二人が入ってきた。

「おまえたちは、一千騎を率いて成都へ先行せよ。夜明け前に進発。二日で到着し、成都城外に陣を敷け」

「二日で？」

張苞が、驚いたような声をあげた。

「成都に戻るまでが、戦だと思え。六百里（約二百四十キロ）を、二日で移動できる騎馬隊に、俺は育てあげているつもりだ」

「わかりました」

二人が、声を揃えた。

成都からここまでの進軍には、五日かけている。兵も馬も、日頃の調練ほどにも疲れてはいない。死すれすれの行軍が、兵をもう一段強くするはずだ。

夕刻だった。

張飛は、従者五名を連れて陣内を見て回り、降兵が集められた場所にも行った。殺されることはないとわかって、穏やかな表情をした者が多かった。

夜明け前、関興と張苞が出発した。

二千の騎馬隊を率いて張飛が出発したのは、すっかり陽が高くなってからである。それでも、二日目には先行する二千を捉えた。指揮官の気迫というものがある。それが兵にも伝わり、馬にも伝わる。軍勢というのは、不思議な生きものだった。関興や張苞には、まだそれがわかっていない。だから、いたずらに兵を叱咤するだけなのだ。

城外に、陣を敷いた。

夜になって、陳礼がやってくると、留守中の報告をした。かつては、隆中で孔明に食事を運んでいた少年である。それが関羽に付き、趙雲に付き、張飛に付いた。

小柄だが、頬が削げ、眼が鋭く、実に果敢に兵の指揮をする。欠点は、全体の戦局に眼がむかないことだ。若いうちはそれでもいい、と張飛は思っていた。まずは、目前の敵を打ち倒すのが、戦なのだ。

「そろそろ、兵には休みをやった方がいいと思います、張飛様」

報告が終ると、陳礼はそう言った。

張飛も、それを考えはじめていたところだった。

「どれぐらいがいいと思う？」

「十日に一度ぐらいの休みが、適当なのではないでしょうか」

「いいだろう。兵たちには、それを知らせてやれ。俺から与える休みではない。殿から与えていただくとな」

成都に行けば、女も買える。酒も飲める。軍規は徹底させてきたので、無茶をやる者もいないだろう。

「江州（重慶）から、趙雲将軍がお見えになっております」

「ほう。久しぶりだな。孔明殿への報告のあと、会ってこよう」

四番目の兄弟。それが趙雲だった。荊州攻めの時、劉備は趙雲に益州の守備を任せるつもりでいる。孔明も、多分同じ考えだろう。

「気になることが、ひとつあります。おかしな者たちが、成都近辺に集まっているような気がするのですが。勿論、城内にも」

「間者か？」

「少し違うような感じがします。われらの調練を、丘の頂から見物していたりしました」

「めずらしくはないな、それだけでは」

「民間人の身なりです。しかし、民間人の身のこなしとは思えないところがあるのです」

「身のこなしか。俺も、注意していよう。魏や呉の間者は、かなり入っているだろうが」

間者ではない、と陳礼は感じている。陳礼の眼を、張飛は信用していた。

劉備の周辺の警固を、見直した方がいいかもしれない。孔明にも、腕の立つ者を十人は付けていた方がいい。孔明はいやがるだろうが、暗殺から身を守るためには、我慢して貰うしかなかった。

「陳礼、十日に一度は、おまえも休め。俺も、休むことにする。こういうことは、将も兵も平等にやるのだ」

「そういたします」

陳礼が営舎から出ていった。

城内に大軍を入れることができないので、城外に点々と営舎を作ってある。調練の場所に応じて、それを使うのである。

従者を呼び、張飛は馬の用意を命じた。招揺は長駆してきたところなので、別の馬である。

早く趙雲の顔が見たかった。

4

夏侯惇が死んだ。

病というほどのことではなかったが、疲れで二日ほど出仕しなかった。三日目の朝、寝台で眠るように死んでいる夏侯惇を、起こしにいった従者が発見したのである。

五月だった。

父の後を追うようにして、ひっそりと死んだ、と曹丕は思った。

大将軍の死である。全軍に喪を発した。

父の葬儀の前例があるので、任地にいる将軍たちは動かさなかった。葬儀に参列する許可を、青州の曹植が求めてきたが、それも許さなかった。

清廉な一生だった。兵はみんな慕っていた。夏侯惇がいるというだけで、軍にはいつも中心があると思えた。

いずれ、夏侯惇の存在が邪魔になるだろう、ということもわかっていた。そういう意味で、いい時に死んでくれたという思いも、曹丕にはあった。死の衝撃も、少ない時期だった。大きな戦はなく、役人の登用の制度を、大幅に変えようとしている時だったのだ。

呉からは、弔問の使者が来た。合肥の戦線で睨み合いながらも、かたちだけの臣下の礼を、孫権は忘れていない。

上庸、房陵の孟達は、司馬懿が指摘した通り、こちらに靡いてきた。これで荊州の江北は、大部分が魏領ということになった。

蜀は、関羽の死からようやく立ち直りはじめていたが、古くからの幕僚であった麋竺が、弟麋芳の裏切りを恥じて、ついに憤死したという。まだ、混乱は完全には収まっていないようだ。

「いまのうちに、許都の件を片付けてしまえ」

司馬懿を呼び、曹丕は言った。

帝に、帝位の禅譲を迫るのである。三度は固辞する必要があるので、数カ月はかかる。戦の少ない時期に、やっておくべきことだった。

父が、なぜ帝位に即こうとしなかったのか。それについて、曹丕は何度も考えた。どこか、完全を求めるところが、父にはあった。まだ全土を統一していないというのが、大きな理由だったのだろう。

父は帝位に即くべきだった、と曹丕は思っていた。中原の覇者となった時でよかった。遅くとも、袁家を滅ぼして河北四州も領土に加えた時、漢王室は消滅させてしまうべきだったのだ。

いくら抑えても、帝は、帝たる地位ゆえに、いつも力を欲しがった。それは、常に曹家を反逆者とするというかたちで現われ、そのたびに父は苦慮し、時には危機に追いこまれた。

乱世である。乱世を招いたのは漢王室で、本来ならば、帝は民の前でその身を切り刻まれて然るべきだった。それが、血も流さず、力だけを得ようとする。戦になれば、ふるえているだけなのだ。

愚劣な血だった。四百年もひとつの血が受け継がれてくると、どこもここも腐りきってくる。新しい血に替えるしかないのだ。

全土を統一してからなどと言っていると、またどこかで足を掬われる。漢王室の血は絶対と言い続けている、蜀の劉備などもいるのだ。

「ただの人だ。いや、世を乱した血なるがゆえに、ただの人以下だと、はっきりと教えてやれ。つまり、心を毀すのだ。ただ、古からの慣習は破るな」

「帝位を禅譲したあとも、それなりの待遇をしてやる、ということでございますな」

「あくまで臣下に落とすが、諸公の上に位置させよ。食邑（扶持）は一万戸。それぐらいが適当であろう。監視の行き届く場所を、選んでおけ」

「古くからの、廷臣がいますが」

「そのままだ。いまのままの地位で、新帝に仕えるのだ。その方が、おまえもやりやすかろう」

自分が帝になったあとに、古い廷臣は少しずつ処分していけばいい。

「まず、帝を人間扱いするな。それで、自分がなんであるのか、はっきりわからせろ。それから、少しずつ人に戻してやれ。人であることの喜びを、嚙みしめるであろう」

「まるで、帝を憎んでおられるように聞えます、殿下」

「憎むにも値せぬぞ、司馬懿。どうでもいいようなものだが、父上はずいぶんと苦しい思いをされた。甘くすると、私も同じ目に遭うことになるだろう」

皇后を死なせることとさえ、父はいとわなかった。しかし、帝にだけは手をかけることができなかったのだ。漢王朝の臣であった、ということを引き摺っていたのだろうか。自分には、そんな意識はない。覇者曹操孟徳の息子なのだ。曹丕は、そう思った。

「帝には、娘が二人いたな」

「皇后が亡くなられてからは、掌中の玉のようにかわいがっておられます。その二人は、殿下の側室に入れさせましょう」

そこまでやれば、憎悪さえ打ち砕いてしまうことになるだろう、と曹丕は思った。司馬懿の残酷さも、並みではない。

「おまえに任せよう。ここで、躓かぬようにな」

朝廷を相手にするというのは、ただの諜略よりずっと難しいところがあった。朝廷には、信じられないほど利用できるものが多いのだ。たとえば漢王室に対する尊崇の念は、考えようでは十万の兵力にも相当する。

「御心配には及びません。殿下には、ほかになさることがございましょう」

正室が、甄氏だった。鄴を落とした時、袁紹の息子の袁熙の妻であった甄氏を、曹丕は奪って正室にしたのだ。

河北一の美女という噂に、誇張はなかった。しかし甄氏は、曹丕に心まで開こうとはしなかったのだ。

閨房での快楽は、充分に満足できるものだった。きれいな躰をしていたし、どうすれば男が喜ぶかも、知り尽していた。まだ十八歳だった曹丕は、しばらくは肉の悦楽の虜になった。しかし、甄氏が心を開かないのと同じように、曹丕も決して心を許してはいなかった。それを教えたのも、父である。

いまは側室も増え、甄氏とは冷えた関係になっている。そのまま放っておいてもいいようなものだが、帝になるとすると、甄氏は皇后なのだ。それはなんとかした方がいい、と司馬懿は言っているのだろう。一度皇后になると、扱いは難しい。

問題は、曹叡という男子がいることだった。できは悪くない、と曹丕も思っている。

「とにかく、おまえはしばらく許都にいろ、司馬懿」

帝になるということを、気軽に考えたわけではなかった。ただ、帝の権威を利用した策謀に苦しむのは、ごめんだった。父の苦しみを、いやというほど見てきたのだ。

曹丕が帝になれば、劉備も帝を称するだろう。父が魏王に昇った時、漢中王と称したようにだ。やがて、孫権も帝を名乗りはじめるかもしれない。つまり、三人の帝だ。

それでいい、と曹丕は思っていた。三人いれば、帝は帝ではない。三人の中で勝ち残った者が、真の帝になればいいだけのことなのだ。それまでは、漢王室などなくなってしまった方がいい。

帝になるべきかどうかについては、司馬懿とだけ何度も話し合ってきた。余人は交えぬように、慎重にやってきたのだ。魏の中にも、漢王朝に対する尊崇の念は、まだ残っている。

司馬懿が退出すると、曹丕は三名の侍中（秘書官）を伴って、役所を回った。

役人の登用については、手をつけたばかりだが、うまくいくという自信が曹丕にはあった。父も人材登用については熱心だったが、自分が実際に会って仕官させることが多かった。しかし、これだけの領土を抱えると、役人の数も厖大になる。能力のある人間が、それに見合った場所を得ることは、非常に難しい。少しでもそれに近い状態にするためには、きちんとした登用の機構を整えることだった。

国の力は、役人が作ると曹丕は思っている。軍の力も必要だが、国を富ませるのは、役人の仕事なのだ。

曹丕の仕事の量は厖大だったが、それも少しずつ役人に任せていく。

役人で問題になってくるのが、不正な蓄財だった。かつての宦官の蓄財は、優に国家がひとつ作れるほどだったという。ある部分で宦官は能力を持っているが、大幅に権限は制限した。役人全体を、評価する機構、監視する機構も、いま作りつつある。罰則も、厳しいものにした。

国家をきちんとひとつ整えるのは、大変な労力が必要だった。だから、いまのところ戦という事態を招きたくない。戦になれば、それがすべてに優先するからだ。

幸い、荆州も落ち着くかたちで落ち着いた。緊張があるとすれば、蜀と呉の間だ。

その意味でも、関羽を諜略にかけて討ったのは、間違いではなかった。

爰京が、目通りを願い出てきている、と侍中が知らせてきた。父の死にまで爰京はつき添っていたが、それからは姿を見ていない。

「夏侯惇将軍の死にも、立会うことになってしまいました」

拝礼をすると、爰京はそう言った。兵士の怪我をよく治すと夏侯惇からも聞いていたが、曹丕は鍼というものをあまり信用していない。侍医の処方する薬が、やはり病には最も効くと思っていた。

「惜しかったが、夏侯惇も寿命であったのだろう」

「自らの、力の無さを痛感いたしました。武王殿下の時も、そうでございました」

「天命である、と私は思っているがな」

爰京の鬢には、白いものが混じりはじめていた。四十になったかならぬかというぐらいだろう、と曹丕は思った。

「本日は、お暇を頂戴いたしたく、参上いたしました」

「ほう、魏がいやになったか？」

「そういうことではございません。病や怪我の療法というものは、各地に無数にございます。それを知るために、流浪をしてみたいのです」

「おまえの鍼は、兵士の怪我をよく治したそうではないか。できれば、いて貰いたいと思う」

「鍼については、きちんと打てる者が何十名か育っております。私には、教えることはありません。あとは、それぞれの努力次第なのです。この私も、もっと努力を重ねるべきだと思っております」

「そうか、流浪か」

「私の知らない薬草も、まだ多くあります。学ぶべきことは多い、と思っております」

もともと、爰京は仕官しているというわけではなかった。父や夏侯惇が、爰京の鍼を認めていただけのことだ。

「これから、洛陽にはさまざまな叡智が集まることになる。学問もそうだが、医についても、全国からさまざまなものが集まってこよう。流浪だけが、ものを知る方法ではない。だから爰京、たまには洛陽に戻ってくるがいい。できれば、洛陽に集まる、新しい叡智のひとつとして、戻ってきてくれ」

「ありがたいお言葉です」

鍼を躰に打った経験が、曹丕にはなかった。

一度ぐらい打たせてみればよかったとふと思ったが、口には出さなかった。

夜が更けるまで、執務は続く。宴の類いは、禁じてあった。前王の死がある。喪中ではないが、派手なことはすべてやめさせた。それを解禁しようとした時、夏侯惇が死んだ。軍の父のような存在である。もうしばらく、宴などが開かれることはない。

眠るのは、十数人いる側室の部屋のどこかだった。交合をすることは、あまりない。躰に触れながら、眠るだけである。

5

孫権は、よく動いた。

建業、武昌、江陵の間を、船を使って動き回るのである。同時に、長江沿いの防備も固めた。呉にとっては、長江が命である。

陸遜は、よく西部軍をまとめていた。ただ、まだ大きな戦の指揮はしていない。

「荊州の民政も、整ってきたようだな」

このところ、孫権は諸葛瑾を連れていることが多かった。張昭は老齢で、武昌に留まり、新しい役所の整備をしている。

船を降り、城郭を三つ四つ回って自分の眼で見ると、孫権には民政のありようがよくわかった。軍の充実度より、そちらの方がずっとよくわかる。

「孟達をこちらに靡かせ、上庸、房陵を領土に加えられたら、江北に対する足がかりもできたのですが」

「仕方があるまい。ああいう男は、大きな方へ靡く」

「殿が経営に力を尽された揚州は、増々充実してきております。相変らず、人口が少ないという悩みは抱えておりますが」

「豊かな土地だとわかれば、人は次第に増えてくる。慌てても仕方があるまい」

「荊州も、豊かになり得ます。ただ、西部軍の軍費が、他を圧迫しております」

仕方がなかった。蜀が、いつ攻めこんでくるかわからない、という情勢なのだ。同盟復活の探りも入れてみたが、蜀では問題にもしていない。

魏では、曹操がついに死に、曹丕の代になった。しかし、大規模な喪が発せられることはなく、合肥の張遼が洛陽の葬儀に出かけていくこともなかった。試みに多少兵力を出してみたが、張遼の軍は以前にも増してしっかりまとまっていた。

曹操麾下の将軍たちが生きているからだ、と孫権は思った。歴戦の将軍である。しかし、みんな老齢に達しようとしている。事実、曹操の数カ月後には、軍の頂点にいた夏侯惇が死んだ。

戦の経験の少ない若い将軍の代になれば、合肥は奪れるはずだ。合肥さえ奪れば、建業、武昌、江陵という呉の防衛線は、磐石なものになる。

　長江本流だけでなく、南の水路もさらに拓きつつあった。全領土に、網の目のように水路が張りめぐらされる。どこよりも輸送が整備され、物産の無駄がなくなるということだった。情報も早く、兵の移動も迅速にできる。そして、大きな城郭と辺境の格差も、水路により縮まる。

「船で移動している時は、なにやら愉しそうでございますな、殿は」

「そう見えるか」

　西部軍の視察で夷道まで行き、江陵を経て武昌へむかっているところだった。江陵を過ぎると、切迫した戦場の気配も希薄になる。

「風が、心地よい季節になった」

「長江は、呉の宝でございますな」

　孫権の気持の底を読んだようなことを、諸葛瑾は言った。荊州は、失いたくなく、失ってはならない。宝の半分を失うのと同じだった。

　諸葛瑾も、戦より民政という傾向の方が強かった。蜀と戦をせずに、同盟を回復することはできないか。それをともに考えるには、いい相手である。

「呉と蜀が争えば、魏の天下は決する。それでもあえて、蜀は荊州に軍を進めてくるか。それがどれほど無謀なことか、弟に教えてやることはできぬのか？」

「無理でございましょう。弟だけでなく、劉備でさえ、呉との戦が無益なものだと知っています。それでもなお、闘おうとしているのです。すべては、関羽というひとりの男のために」

「たったひとりのために、国が滅びる。それを肯んじる劉備の心が、私にはわからぬ」

「男の心の中の、そういうものに触れてしまったのです。理屈ではないものにです。劉備と張飛は、関羽が荊州で死んだ時、自分たちも死んだと感じたに違いありません。いまから考えれば、関羽を殺さず、益州に追いやるだけにしておいた方がよかった、と思います。領土の一部を失うことと、兄弟のひとりを死なせることは、あの二人の中ではまるで違うことだったはずです」

関羽を殺すべきではなかった。それは、孫権も何度も考えたことだった。あの時は、関羽の反撃を恐れたのだ。ここで殺しておかなければというのは、恐怖から出た決断だったと言える。

荊州を奪ってのち、和睦を申しこむ。同盟を復活させるために、呉がそれなりのことをやる。たとえば、大軍を組織して北進し、魏に強い圧力をかけてもよかった。そうすれば、蜀軍は雍州に出て、長安を奪ることも可能だったはずだ。長安を押さえれば、わずかの間に雍、涼二州を制しただろう。

呉が揚、荊を領し、蜀が、益、雍、涼を領する。それでもやはり魏が大きいが、あまり格差のない天下三分のかたちができあがったはずだ。

関羽を殺していなければ、そういう話し合いに持っていくことが可能だっただろうか。蜀が荊州奪回に全力を傾けてくれれば、呉、蜀共倒れの危険が大きい。馬鹿げたことだとわかっていても、蜀は理屈を超えてそれをやってくる。

関羽は、殺してしまったのだ。すでに終ったことだった。

考えなければならないのは、すべてを無視して攻めこんでくる蜀軍を、どうやって防ぐかだった。劉備と張飛は、復讐の鬼のようになって攻めてくるのだろう。

「難しい戦を抱えこむことになるな」

「荊州がどれだけ治まるか。それによっても変ってくるという気がいたします」

「とにかく、蜀を敵に回したのは、われらだ。しばらくは、合肥を奪ることを考えるより、蜀軍を防ぐことに力を注ごう」

せっかく手にした荊州を、手放そうという気はなかった。長江の利を生かすためにも、どうしても必要な地なのだ。

合肥には、甘寧を張り付かせてある。いまのところ、張遼と押し合っても、一歩も退かずにいた。

武昌では、張昭が出迎えた。

城郭は、ほぼ完成している。さらにその外側に、防壁を築いているところだった。五万の兵で、三年籠城できる態勢を作れ、と命じてある。水攻めに備えて、兵糧倉や武器倉はすべて丘の上だ。

「殿の館は、まだ完成しておりません。とりあえず、役所の建物の中に、居室を用意してございます」

「私の館など、最後でよい。役所は、すでに稼動しているのであろうな？」

「それはもう。武昌の方が、揚州、荊州全体に眼も配りやすいので、建業でやっていた仕事のかなりの部分が、こちらに移ると思います」

「長江を移動してみると、よくわかる。この武昌を生かしてこそ、長江の恵みもすべて受けられる」

役所の奥の居室に入った。狭いが、居心地は悪くなさそうだった。

「さてと、蜀の情勢でも聞こうか」

蜀についての情報は、すべて張昭のところに集まることになっている。潜魚の手の者のほかに、路恂の致死軍も使っているはずだ。

「呉にとっては、非常に難しい情勢ではあります。成都郊外に、およそ七万の軍が駐屯しているのです。これは遊軍で、劉備自身と、張飛将軍の指揮下にあります」

「強力な軍か？」

「きわめて。一度、張飛の三千騎が、巴西郡に出動しております。一万数千ほどの豪族の連合軍を、ほとんど兵を損耗させることもなく、一撃で打ち破り、十七名の豪族を処断し、二日で成都に帰還しております」

「二日だと」

「相当な機動力です。三千騎は一部に過ぎず、張飛のもとには、一万騎がいると言われています。これは、まともに受けるには五万の精兵が必要でありましょう」

「陸遜の軍を、十万に増やしてあるが」

「いま、張飛の騎馬隊に並ぶ軍団は、この国にはおりません。あの張遼の軽騎兵とて、見劣りがするほどです」

張昭は、表情も変えずに喋っていた。

その一万騎を先鋒にして、蜀軍が荊州に雪崩れこんでくる。それは、すぐにも起きそうなことだった。

「趙雲や馬超や魏延という、ほかの将軍たちは？」

「それぞれの任地におります。ただ、蜀では将軍や高官の死が続き、組織をいくらかいじらなければなりません。そしてなによりも、疲弊から回復しなければならないのです。漢中争奪戦では、一年もの押し合いをやり、それから四十万と言われる曹操軍と総力戦をやったのでありますから」

その総力戦の直後に、関羽が北進し、蜀の主力は雍州を窺った。さすがの曹操が、単独では防ぎきれない、と判断したのだ。しかしあれが、蜀の疲弊をさらに深めた。

「成都に、七万もの遊軍がいるではないか、張昭」

「これはもう、荊州を攻めるという、劉備の意思表示のようなものでありましょう。ただ今年の収穫を税として集めるまで、遠征する体力はありません」

「わかった」

来年まで侵攻はなく、その間になんとかすると張昭は言っている。

張昭とはいつも、肚の読み合いのような会話が続き、そして結論は口に出さない。

「張飛の軍は、さながら槍のようなものであります。とてつもない槍ですな。それで、州のひとつぐらいは突き破ってしまうような。張飛は、その槍の穂先です」

わずかに、張昭の眼が細められたような気がした。顔の皺が深く、もともと眼の表情は読みにくい。なにを見ているのかわからない、と思える時さえあった。

「蜀軍の将軍たちが手強いのは、よくわかっているが」

「もっと手強い者が、蜀にはおりますな。諸葛亮と馬良。この二人がいなければ、いかに勇猛な将軍が揃っていようと、来年の遠征は無理でしょう」

微妙な話になってきた。張昭は、致死軍の路恂を使って、明らかに暗殺を企てている。ただ、その対象が誰なのか、孫権にも悟らせない。暗殺という言葉を持ち出せば、当然否定もしてくるだろう。

孫権にわかるのは、劉備を暗殺すれば、魏は大軍を出して蜀を呑みこむだろうということだ。全土が、魏と呉の二国になる。そして、呉の力はあまりに弱すぎる。だから蜀を潰せないことは、当然張昭にはわかっているはずだ。

「西部軍は、いまの十万でよいと思うか？」

孫権は、話題を変えた。

「朱然の二万が、いま武昌におります」

孫権は、あまり買っていなかった。一軍を率いるという輝きが、あまり感じられないのだ。ただ、死んだ呂蒙は朱然を評価していた。無駄なことをしない男だ、と言っていたことを孫権は思い出した。

「建業から、もうひとり、どうしてもと言って来る男がいます」

「任地を勝手に離れてか？」

「任地はありません。軍人とは、なかなか厄介なものですな。静かに死ぬことを望まず、戦場に出ようとばかりします」

「韓当の老いぼれか」

父の代から生き残っている、唯一の将軍である。軍の頂点にはいるが、引退したも同然だった。こわいものがもうないという年齢なので、孫権にも言いたいことを言う。腹を立てて、老いぼれと罵ったことが、何度もあった。

「陸遜、淩統、朱然、みんな若いのです。老いているとはいえ、韓当殿は百戦練磨。三人に嚙み合わせてみるのも、面白いかもしれません」

「どうせ、死にたいだけであろう、あの老いぼれは」

父の代からの将軍には、かわいがられたという思いが強い。だからそれなりの待遇をし、長生きをさせたいとも思っている。そういうこちらの思いを、韓当はわかろうとしない。戦のたびに、先鋒を申し出てくるようになったのだ。

「死なせたくないな、おまえと韓当は」

「死に場所を与えるのが情、ということもあります、殿。躰が動かなくなるまで、軍人は生きたくないのでしょう」

「考えてはおくが、老いぼれが来ても、武昌に留めておけ」

「私が言えば、斬り殺すと脅されます。昔は、あれほど短気ではありませんでしたが」

「まったく、老いぼれどもは」

周泰が入ってきて、朱然が来たことを告げた。

周泰は、孫権の旗本を率いている。孫権がどこにいようと、声が届くところから離れようとしない。そして従者のような仕事までやるのだ。

「朱然、江陵へ進み、陸遜の指揮下に入れ」

「戦でございますか？」

「単に、おまえを西部軍に配置するというだけだ。明日、進発せよ」

朱然が、拝礼して退出した。出頭せよと、あらかじめ張昭が伝えていたようだ。

「ところで、帝が曹丕に帝位を譲ると申し出たことは、御存知ですか、殿？」

「知っておる。いずれ、曹丕はそれを受けるだろう。漢王室は、とうとう終るか」

「あくまで、魏に立った帝です。つまり全土の帝ではなく、魏の帝ということです」

「劉備も、いずれ蜀の帝になるか」

「殿は、いかがでございますか？」

「呉の帝か」

孫権は鼻で笑った。

「意味がない。三人もいる帝のひとりになって、どうするというのだ？」

「呉の民が、それを望むかもしれません」

「民が望むのは、平和だ。豊かな暮しだ」

「まあ、誰もが帝なら、なっておいて損はないという気もいたしますが、いまのところ、呉は魏に臣礼を取っておりますからな。そうではない意思表示程度には、帝は使えます」

「ならば、使う時はおまえが考えろ。いまのところ、私には関心がない」

「殿も、ようやく大人になられました」

「皮肉か、張昭？」

「いえ、呉は安泰であろうということです」

「どこが安泰だ。蜀が攻めてくるぞ」

「来年までに、さらに兵力も増えます。いま、荊州で徴兵を進めておりますし」

魏の曹丕とはどういう男なのかと、孫権は考えはじめていた。曹操ほどの手強さはないだろう。しかし、果断なところはある。帝位は、禅譲というかたちは取っても、簒奪だろう。それは、曹操がなし得なかったことだ。

張昭が、小声でなにか呟いていた。わざわざ独り言を呟き、咎めると年齢のせいにする。なにか不満がある時の、張昭のやり方だった。

去り行けど君は

1

曹丕は、魏国の帝ということになった。

あくまで、魏国である。ただ、漢王室はこれで終った。最後の帝であった劉協には、山陽公という待遇を与えた。食邑（扶持）一万戸というのは、弟の曹植と同じである。

劉協の二人の娘は側室に入れ、その日のうちに犯した。数人の宦官に立会わせ、廷臣にも劉協にもすぐに伝わるようにした。帝の娘といっても女体には変りなく、泣き叫びながら破瓜の血を流しただけである。

帝になったことで変ったのは、殿下から陛下と呼ばれるようになったことだけだ。宮殿の造営は急がせたが、従来からの廷臣は相手にしなかった。朝廷にある慣例も、無意味なものは無視した。

曹丕が関心があるのは、役人の登用がうまくいっているか、ということだった。それについては、侍中（秘書官）たちに、執拗なほどに調べさせた。はじめたばかりで、まだ効果は出ていない。

夏侯惇が死んでも、軍の編成はしばらくいじらないことにした。軍人が不満を抱かないかたちができている、と思ったからだ。

まだ曹植を青州からは動かせなかったが、有力な後ろ楯であった丁儀は左遷して投獄し、叛乱の画策という理由をつけて、殺した。叛乱であるから、丁一族は全員が死罪である。そうしておけば、恨みが残らない。

曹植の衣は剝がしたが、まだ厚い衣服が一枚残っていた。母である。異母弟ならば簡単に処分できたが、殺せば実の母が悲しむ。実際、事あるごとに、弟のことを思ってやれ、と母に泣きつかれた。

いずれ、青州から動かす。食邑も、一千戸以下にする。生きながらの死なら、曹植に与えられるのだ。

曹植は、酒浸りの日々だという。そうやって自分を安心させようとしているのだ、ということが曹丕にはよくわかった。酒の上の失態は多く、そのたびに曹丕は必要以上に怒り、死罪と決めた。母に泣きつかれて、それを覆す。三度それを続ければ、青州から動かすことができるだろう。母も、仕方がないと諦めるはずだ。

正室の甄氏との関係を、改善しようとも思わなかった。曹丕が帝になった段階で、皇后となるのが自然だったが、曹丕はそれを許さなかった。

そのくせ、甄氏の寝室は頻繁に訪った。

まだ、容色は衰えていない。それどころか、鳥肌が立つような妖艶さを漂わせてさえいた。寝室を訪うと、執拗な愛撫だけ加える。交合の欲求に耐え難くなると、別の側室の寝室に飛びこみ、抱いた。

ある時から、甄氏は愛撫を拒むようになったが、それも曹丕は許さなかった。三人の宦官に裸の躰を押さえさせ、執拗な愛撫を加え続けた。全身を痙攣させながら耐え、それでも最後には甄氏はとめどなく涙を流した。

それが、曹丕の暗い喜びになった。

曹丕にとってはただの女体でも、甄氏は躰と同時に心も開くべきなのだ。心を開かない女に対しては、残酷な扱い方しか残っていなかった。

自分のもとで魏は、その国としての動きを活発にしていた。

帝の干渉は、もうない。自分自身が帝なのだ。ただ、魏一国の帝にすぎない。他の二国を斬り従え、この国を統一した時は、いまの帝位よりさらに一段昇る。それがまことの帝だという認識を最初から持って、劉協に禅譲を迫ったのである。四百年続いた血の重さは、これで消えた。

司馬懿は、まだ下位の将軍として、許昌にいた。帝がいなくなったので、もう許都とは呼ばない。

司馬懿の立場は、微妙だった。

劉協に圧力をかけ、帝位を禅譲させたこと。丁儀の一族を、ことごとく誅滅したこと。それらの背後に司馬懿がいたという事実が、少しずつ明らかになってきたのだ。漢王室を敬っていた人間の恨みを、一身に集めた。丁一族の誅滅によって、軍のかなりの部分からの反撥も受けている。曹丕が受けるべき謗りのすべてを、司馬懿が浴びていると言ってもよかった。

手を差しのべることは、しなかった。むしろ許昌に留めて、晒し者のようにしていた。司馬懿とは、国作りについて考えを同じにする部分が多い。軍略についても、非凡なものを持っている。そしてなにより、曹丕とめずらしく気が合った。

気が合っているだけで、気を許したわけではなかった。これまで、誰に対しても気は許してこなかった。

司馬懿が、いまの立場で二、三年耐えられるかどうか。非難がもっと大きなものになれば、降格も考えていた。

曹丕がそばに置いた軍人は、近衛隊長の許褚を除けば、まず張郃だった。

曹丕は、実戦を張郃に教えられた。ともに戦場に出、ともに軍の指揮を執った。河北平定戦の折りである。それで張郃に親しみを感じているのだろう、と誰もが思ったようだ。張郃自身もそうで、よくそのころの話を持ち出していた。

まずそういう帝として見られよう、と曹丕は思っていた。そうやって、人の反撥をかわしながら、組織を整え、絶対的な力を作りあげていけばいい。父の曹操は、若いころから戦に明け暮れた。戦の中で、何人もの忠臣を育てあげた。自分には、それがない。下手をすれば弟の曹植に後継を奪われるという状況の中で、なんとか手にした地位なのだ。

張郃には、若い将軍たちをいつもひとりかふたり伴わせた。遠くない将来、軍も若い将軍たちの時代になるのだ。

曹真と郭淮という二人は気に入り、時には個別に呼ぶこともあった。曹真とは、幼馴染みである。同姓だが、血縁はない。曹操の挙兵に応じようとした曹真の父が、その途次で殺された。孤児となった曹真を憐み、曹操が曹丕と一緒に育てたのである。性格は、知りすぎるほど知っていた。軍を指揮する能力もある。自分を決して裏切らない人間のひとりとして、曹丕は数えていた。

郭淮は、単純に気に入った。ほんとうに側近にするのは、実力を見きわめてからである。

文官でしばしば呼んだのは、陳羣である。役人の登用の制度については、ほとんど陳羣の立案で、曹丕が最初にやろうとしている役所の整備は、陳羣の手腕にかかっていると言ってもいい。

時には、徐晃や曹仁や曹洪という、古い将軍たちも呼んだ。曹丕が意見を聞きたがっていると思いこみ、老将たちは張り切ってやってくる。

曹丕は、軍全体を見渡していた。その中で、夏侯一族の力がかなり強いものである、という認識を得た。夏侯惇が生きていれば手がつけられなかったが、呆気なく死んだ。徐々に、夏侯一族の力を軍の中で弱めていくことは、それほど難しくはなくなった。

夏侯一族は、せいぜい地方の将軍で、若い者は校尉（将校）止まりにしてもいい。それが済むまでは、ほかの将軍たちは手厚くしておくのである。

洛陽の、宮殿造営は進んでいた。

父が建てた建始殿とは、また別のものである。許昌にあった朝廷の機構は、すでにすべて建始殿に移っていた。

「そうか、やはりな」

夜に受ける五錮の者の報告の中に、蜀の情勢があった。劉備が、帝になるというのである。それも、国を蜀漢と称するようだ。漢王室の正統を主張しようとしているのか、いずれ山陽公劉協を迎え、まことの帝にしようという目論見なのか。

「相変らず、成都に七万の遊軍はいるのだな？」

「はい。張飛将軍の騎馬隊は、精強無比と思われます。張遼将軍の軽騎兵に勝るとも劣らず」

「動く気配は？」

「昨年の収穫があがり、民はひと息ついているというところでございましょう。兵糧の準備も、できていると思われます」

多分、荊州へむかう。その時は、こちらにつけ入る隙ができる。呉に対しても、蜀に対してもだ。呉蜀戦が激烈なものになれば、労さずして天下も取れる。

関羽を謀略にかけたのが、やはり大きい。

父はその謀略を好まないふうで、関羽の首が届けられた時は、涙まで流していた。

しかし、どれほど効果的な謀略であったかは、いまの情勢が証明している。

「漢中は？」

「魏延の軍がいるだけです。そして白水関に馬超の軍」

蜀軍が、北へむかうと危険だった。雍、涼の二州を奪りはしたが、必ずしもよく治まっていない。異民族が多く、叛乱の芽が絶えないのだ。父の代のころから、赴任した施政官は、特に羌族の統治で苦労していた。

蜀が北上して雍州のどこかに拠ると、涼州まですべて靡きかねない。特に、蜀には、涼州の英雄馬超がいる。

叛乱の芽が絶えないのは、謀略が不足しているからだと、曹丕は見ていた。謀略をもって、互いに反撥させる。そしてそこに施政の手を入れる。それができないはずはなかった。馬超を破った時は、軍事を夏侯淵、謀略を程昱が担当していた。

その程昱は、ひっそりと死んだ。いまのところ、程昱に代って謀略をなせる者が、育っていない。

「ところで、おまえたちは浮屠（仏教）の信者だという話だが、呉にも蜀にも浮屠はいるのか？」

「呉には、少々。蜀は、五斗米道がようやくなくなったところでございますから」

「信仰とは、なにかに祈ったりすることなのか？」

「それも、ございます。生きている苦しみを、ただ癒すためのものでもあります」

父が、なぜ浮屠を許したのか、はっきりした理由はわからなかった。ただ、太平道のように、組織を作って権力に抗するということはないようだ。その一点を認めて、父は浮屠を許したのかもしれない。

「寺は、足りているか？」

「はい。魏の御領内では」

「父の時と、なにか扱いが違うようだったら、私に直接申し出よ。私には、いまのところ変えるつもりはないのだ」

五錮の者は、役に立つ。働いてくれさえすれば、それでよかった。いま五錮の者は、呉や蜀よりも、魏の国内の調査に力を注いでいた。自分の国のことは、自分の躰のように知っていたい、と曹丕は思ったのだった。

ひとりになると、甄氏のことを考えた。

まだどこかに、未練があるのだろうか。あの容貌と肉体を超える側室は、どこにもいない。美貌と評判の女を、側室として召し出してみたりするが、どこか気に入らないところがあるのだ。それは爪のかたちであったり、耳であったり、声のかすかに不快な響きであったりした。

　甄氏は、心以外は完璧な女のように、曹丕には思える。従順である。挙措はたおやかである。しかし、心の底に曹丕に対する憎悪を抱いていた。歳月が消すことのない、冷たい氷の塊のような憎悪だと、曹丕には感じられた。

　すべてを支配できても、心だけが支配できない。その苛立ちが、増々曹丕を残酷にした。凌辱以外の何ものでもない愛撫を、夜毎加える。息子の曹叡は、幼いころから引き離し、老臣の守役に任せている。いまでも、決して奥へは近づけないのだ。

　殺すこともできる。顔も躰も眼をそむけるほどに醜く傷つけて、生かし続けておくこともできる。そう思っても、夜になると甄氏の寝室に行ってしまうのだ。

　支配したいのではない。愛されたいのではないのか。たかがひとりの女に愛されたくて、自分は苦しんでいるのではないのか。

　苦しんでいるという自覚が、また曹丕を耐え難い気分にさせた。あの女を、愛したのだ。そう思うことも、また耐えられなかった。

　夜が、更けていく。甄氏の寝室では、三人の宦官が待っている。躰を押さえつけさせて愛撫を加え、決して交合はしない。

なぜ、そんなことをくり返すのだ。呟いてみる。

聞く者は、誰もいない。

2

曹操が、死んだ。

馬超の気持は、それで特別動くこともなかった。曹操に対する恨みが全身を染めている、と誰もが見るが、はっきりとした自覚が馬超にはなかった。

激しい戦をやった。一族を殺された恨みを、すべて叩きつけたような戦だった、と人は見ていたのだろうか。

きわどい勝負だったが、曹操には負けたのだ。その思いだけは、いまも強くある。いずれ勝とうという気も、持っていなかった。無駄な戦をしたのかもしれない、という思いがあるだけだ。自分を盟主と仰いだ関中十部軍も、涼州の豪族も、最後は自分を裏切った。

誰のための戦だったのか、と考えることもむなしい。自分のための戦ではなかった。それだけだ。

劉備軍の部将となったのも、成行きのようなものだった。

白水関には、まだ雪があった。

その雪を蹴立てるようにして、一千ほどの騎馬隊がやってきた。張飛である。昨年、巴西郡の叛乱をわずかな兵で叩き潰してから、益州内を時々巡回するのが張飛の仕事になったようだ。

見事な騎馬隊だった。通常三日で移動するところを、二日で駈け抜けるという。その迅速さだけでなく、戦闘力も相当なものだった。成都には、これが一万騎いるというのだ。

「熱い酒でも飲みたいと思ってきた、馬超」

張飛は、心の細やかさを、乱暴な口調で隠す。それは、習い性のようになっている。関羽が死んで、最も衝撃を受けたのは、この男だろう。

「袁綝と夫婦になっているかどうか、しっかり見てこい、と簡雍に言われた。馬超は隠し通そうとするぞとな」

一度成都へ行き、白水関に戻る時、袁綝は付いてきた。成都の館には、下女が数人いただけで、退屈な生活だったようだ。白水関では、兵の食事の管理などをはじめた。袁綝が来てから、食事がよくなったと評判はいい。

「陳礼は連れてきたのか、張飛？」

「いや、三万からの兵を動かせる副官が、ほかにはおらん」

「袁綝は、陳礼あたりに似合いだと思うのだがな」

営舎の居室は、質素なものだった。物に対するこだわりが、馬超にはあまりない。

「俺の副官を、骨抜きにするつもりか、馬超。袁綝を乗りこなせるのは、おまえのようにすれた男だ。それもいい歳をした」

いつのころからか、張飛とは俺、おまえで喋るようになっていた。

寒い中を駈け通してきた張飛の部下は、それぞれ営舎に落ち着いたようだ。

張飛の心の中にある、焦燥と悲しみが、馬超にははっきりと見えた。恐らく、孔明にも劉備にも見えているのだろう。だから、領内を巡回させ、駈け回らなければならないようにしている。

成都にいる七万の軍は、明らかに荊州進攻のためのものだった。戦略もなにもない。ただ関羽の仇を討とうとしている。張飛がそうだというのはわかるが、劉備も同じなのだった。その点で、馬超はいくらか劉備を見直した。それまでは、一州を率いる大将としてはよくできた方だ、と思っていた程度だ。孔明という軍師がいるので、曹操と天下を争うところまで行くかもしれない、という気もしていた。しかし、大きな関心があったわけではない。

　天下もうち捨てて、関羽の仇を討つ。これは、並みの大将でできることではなかった。劉備が好きだと言った簡雍の言葉が、はじめてわかったような気もした。

「どうなのだ、簡雍殿の具合は？」

「駄目だな。冬が越せたのが、不思議なぐらいだ。一度、ひどく血を吐いた。相変らず、憎まれ口は叩いているが」

「袁綝がいなくて、不自由しているのではないかな」

「おまえに付いていけと言ったのは、簡雍だ。ここで付いていかなければ、永久に逃がしてしまうとな」

「簡雍殿が？」

「俺と同じで、おまえは男と女のことにはうといのだな。董香が相談され、やっぱり付いていくことを勧めた。簡雍のことが気がかりだったようだが、董香が心配しなくてもいいと言ったのだ。いまは、毎日のように董香が行っている」

「そうか」

「いい夫婦になる。簡雍はそう言っていたがな」

　酒が運ばれてきた。運んできたのは馬岱で、自分も一緒に飲みはじめた。

「雍州進攻を、孔明殿は考えておられるのでしょうか、張飛殿？」

「知らん。俺は軍人だから、命令されればどこへでも行くが」

孫権を討ったあとなら、という言葉を張飛は呑みこんだように思えた。

「ところで、張衛はどうしている？」

「どこにいるのかな」

ほんとうは、いまは雍州にいた。豪族を糾合して、叛乱を起こそうとしているのだ。軍費のために、各地で略奪をやりはじめたのが、一年半ほど前からだった。

馬超のところにも、何度か来た。

張衛は、崩れはじめていた。四十万の曹操の大軍を、劉備が追い返した。それを目の当たりにして、張衛の内部でなにかが変ったのだ。関羽が北進して樊城を囲んだ時、荊州北部で叛乱が頻発した。それにも、張衛は加わっていたようだ。

天下。若いころに抱いた、たわけたその夢が、亡霊のように張衛の内部で蘇ったとしか思えなかった。いまは二千ほどの流浪の軍で、雍州の中を動き回っている。

「孔明殿が、張衛のことを気にしていてな」

仕官させたがっていた。かつては、張衛は山の民の暮しを愉しんでいた。だから仕官などするはずもなかった。いまなら、するかもしれない。しかし、蜀のためにはならない。賊徒を抱えこむようなものだろう。

蜀について、それぐらいのことを考えるほどの思いは、馬超も抱いている。

「まあいい。一応訊いてみてくれ、と孔明殿に言われていただけだ。あいつとは一度戦をやったが、どこか脆いという感じだった。戦には、うんざりするぐらいその人間の性格が出る」

「張飛、天下というのは、人を狂わせるものなのかな？」

「おまえ、大兄貴が蜀の帝になろうとしていることを、言っているのか。漢中王になった時と同じだ。曹操の倅が帝になった。だから大兄貴も帝になる。つまり、どちらもまことの帝ではない。そういうことなのだぞ」

劉備のことを、言ったわけではなかった。馬超は、苦笑して酒を口に進んだ。

「成都にいる七万は、荊州を攻めるための軍ですか、張飛殿？」

「当たり前だ、馬岱」

「しかし、それをやれば」

「やめろ、馬岱。張飛は、荊州へ行かなければならんのだ。男だからだ。殿もそうだ。余計なことは言うな」

「ならば、われらも加わりたいものです、兄上」

「おまえはここで、兵の調練に励んでいろ。張飛が連れてきた騎馬隊と較べると、見劣りがし過ぎるぞ」

馬岱がうつむいた。

蜀を去るとしても、馬岱は残していく。張飛に認められるほどの将軍であって欲しい、と馬超は思っていた。張飛は、無表情で杯を傾けていた。

気まずくなったのか、しばらくして馬岱は出ていった。

「馬超、おまえは木を剣で斬り倒すそうだな」

「ここではやらん。木が多すぎる」

「涼州で、やっていたのか？」

「砂漠には木が少なくて、そいつが話しかけてくる。だから、俺も喋る。そのうち、喧嘩になるのさ」

「おまえの剣の柄は、両手で握っても充分に余裕があるな。両手だから、斬れるのか？」

「昔から、剣は両手で遣ってきた。たとえ馬上でもな」

「斬られる木は、たまらんな。せっかく砂漠で、苦労して大きくなっただろうに、根があるので逃げるわけにはいかん」

「斬ったあとから、新しい芽が出て、やがて幹になっていく。死にはしないのだ」

「そんなものか」

「人も、死んだと思わないことだ。心の中で生きていればいい」

「馬超が、そんなことを言うのか」

「死に急ぐ、張飛にむかってならな」

「急いでいるのは、おまえだろう。おまえの剣とむかい合った時から、そんな気がしていた」

「お互いに、死に急いでいるか」

「おまえは、乱世に背をむけるだろう、と簡雍が言っていた。俺も、そんな気がする」

「だとしても、それが卑怯なことだと、俺は思わん」

「卑怯ではない。しかし、どちらへ行こうと救いはない。俺には、董香という救いがある、と簡雍は言っていた。だから、おまえには袁綝だ」

「確かに、董香殿はよい奥方だ。ここまで、それを自慢に来たのか、張飛」

「簡雍は、袁綝に娘のような感情を抱いている。心配しているのだ」

張飛が、馬超の杯に酒を注いだ。

「俺は、孫権と闘い続ける。どちらかが死ぬまでだ。そうしなければならなくなった。おまえは、違う。なにをするのも、自由だ」

「一応、蜀の臣なのだがな」

「それは、馬岱がやっていくだろう。おまえと較べると、粒が小さすぎるが」

「よくわからんな。はっきりと言ってみろ、張飛。おまえらしくないぞ」

「袁綝と夫婦になれ。あとは、なにをやろうと勝手だ。これが、箇雍が俺に言ったことだ。ともに、蜀のために闘おう。これは、俺の気持だ」

「袁綝か」

「一途に、おまえに惚れ抜いている。董香は、そう言った」

張飛が、杯を呷った。

夕刻になっていた。陽の出ることの少ない益州では、いきなり夜になるという感じがある。しかし今日の雲は薄く、窓の外は夕方の光線だということが、はっきりとわかった。

袁綝の声がして、馬超は窓の外にむけていた視線を戻した。下女に大皿を持たせた袁綝が、ほほえみながら入ってきた。

「おう、これは」

「お久しぶりです、張飛様。董香様もお変りはないと思いますが」

「元気にしている」

「簡雍様だけですね、元気ではないのは。仕方がありませんわ。あれほど止めても、御酒を召しあがるのですから」

「董香も、同じことを言っていた。人の幸福も悲しみも、みんな酒のうちに紛らわせてしまう。それが、簡雍という男の人生だと」

「孟起は、元気にしています。なにかを踏み間違うこともない、と私は思っています」

「前から訊きたかったのだがな、袁綝殿。馬超のことを、いつから字で呼ぶようになったのだ？」

「はじめて会った時からですわ」

「なぜ？」

「私の夫になる男だと、はっきりわかりましたもの。会ってから、もう十年以上になりますが、一度も疑ったことはありません」

「おい、小綝」

戸惑いながら、馬超は言った。

「おまえは、涼州の砂漠の中で、籠に入れられてふるえていたのだぞ」

「籠の中にいても、眼もあれば耳もあります。そして心も」

張飛が、声をあげて笑った。

「相手にされなくてもいいのです、張飛様。孟起は、ただ気づいていないだけなのですから」

張飛の笑い声が、さらに大きくなった。

下女たちが、卓上に大皿を並べはじめた。煮こんだ肉と野菜だった。

「董香様に、教えていただいた料理ですわ」

袁綝に言われ、張飛がはにかんだように笑った。

「張飛様も、料理をなさるそうですね。それも、豚を丸ごと一頭」

「一度だけだ」

「孟起に教えておいてくださいませ。子供たちに食べさせてやりたいと思います」

「子供たちだと」

馬超は、口に運びかけた杯を途中で止めた。

「私は、孟起の子を生みます。少なくとも、三人」

「三人か。これはいい」

張飛が、また笑い声をあげた。

馬岱や牛志も交えた酒宴になった。袁綝は、次々と料理を運んでくる。

深夜になり、馬超は張飛に誘われて外へ出た。足首が埋まるほどの雪が積もっている。それを踏む音が、交錯した。

「ここから、荊州は遠いな、馬超」

雪をひと掴み取り、張飛はそれを口に入れた。

「俺は漢中を回り、白帝へ行ってから、成都へ戻る」

「そして、荊州へか」

「小兄貴は、ひとりで死んだ。それも騙されてだ。俺は、自分が殺されたと思っている。大兄貴、小兄貴、俺。三人とも自分なのだ」

「わかるような気もするが」

「馬超、おまえは一族を皆殺しにされて、仇を討とうとは思わなかったのか？」

「思ったかもしれん。思ったとしても、それは少しずつ消えていったな。死んだ者に、なにがしてやれる。俺は、そう思っている。なにひとつとして、してやれることはないとな。ただ、忘れないだけだ」

「生きて、おまえに従ってきた兵たちの方が、仇を討つより大事だったのだな。それで、蜀軍にも加わったのだな」

「その兵たちも、蜀軍に馴染んできた」

いまは、馬超軍一万の中の千五百だ。そして馬超軍は、かつての馬超軍ではない。蜀軍の中の一部隊で、張飛が指揮すれば張飛軍に、馬岱が指揮すれば馬岱軍になる。

「俺は、殺し合いなどもうたくさんなのだ、張飛。天下統一も男の夢も、遠い雲のようなものだ。人知れずひっそりと暮し、ひっそりと死んで土に還りたい」

「この世のどこにも、殺し合いはあるぞ。争いもだ。おまえの求めているものは、天下統一より難しい」

「かもしれぬ。俺は昔から、実はひとりでいるのが好きだった。涼州の馬騰の息子であったがゆえに、戦を重ねた。それが当たり前だとも思っていた。ほんとうに欲しいものがなにか、見ようともしてこなかった」

張飛が、また雪を摑んで口に入れた。

「俺は、兄弟を持った。血を分けた兄弟よりももっと濃い、ほとんど自分自身のような兄弟をだ。それが、俺の人生なのだろう」

「董香殿もいるではないか、おまえには。さまざまな情愛に彩られた人生が、俺には羨しくも思える」

「袁綝には、眼をむけてみろよ。幼いころから育てた娘というのではなく、ひとりの女としてな。最後は、おまえが決めることで、俺は余計なことを言っているのかもしれんが」

「袁綝までが、あんなことを言い出すとは、思ってもいなかった」

「まあ、俺がこれ以上言わなくても、意識せざるを得ないだろうが」

張飛は、雪を踏んでかためるような仕草をした。

「俺は、もう寝る。営舎で兵と一緒に寝ることにしている。おまえの剣、呂布の方天戟とやり合わせてみたかった。両方とも、どこか悲しいな。天下とも夢とも関係なく、ただ強いだけだ」

「呂布奉先か。名は、涼州にも流れてきた」

めずらしく月が出て、束の間周囲が明るくなり、また隠れた。いつもより、雲は薄いのかもしれない。

「張飛」

背をむけかかった張飛を、馬超は呼び止めた。

「俺は、このところ病がちだ。長駆に耐えられないので、軍の指揮も馬岱に任せることが多い。いずれ回復するかもしれんが」

「成都では、そう言っておこう」

雪を踏む音をたてて、張飛の背中が遠ざかっていった。

3

どこを駈けても、張飛の騎馬隊は恐れられた。小さな砦の守兵などは、全員が躰を硬直させて迎える。

ただ、恐れられてばかりではない、という気もした。村のそばを通りかかると、民が飛び出してきたりするのだ。見物をしている、という感じもあった。

漢中も巴西郡も、戦の匂いは薄くなっている。束の間の平和の中にあるのだ。しかし、巴東郡に入ると、戦時の匂いは強くなってくる。

白帝城は、王平が三千の兵で守っていた。

兵の統率の仕方はいい。判断力も優れている、と張飛は見ていた。白帝には、荊州進攻に備えた兵糧が集められはじめているが、その配置にも警備にも隙はなかった。

長江が二つに分かれる、その分岐のような岩山の上に白帝城はある。仮に荊州から攻めてきた場合は、ここが防衛の拠点である。高い岩山から長江を見降ろす恰好になるので、水軍を遮るのにも絶好の地形だった。

「国境のあたりまで、呉の水軍が姿を見せることはあるか、王平？」

「時々はあります。ただ、遠くで反転していきます。凌統という者の軍です」

ここから一気に突っ走れば、江陵までほぼ七百五十里（約三百キロ）だった。ただ、山と川に挟まれた、険岨な道が多い。南岸は、道がつけられず、桟道を作ってあるところもあった。

「巫城には、どれほどの軍がいる？」

「ほぼ、三千というところです」

国境を挟んで、白帝城と巫城がむき合っている。つまり前線だが、まだ戦闘ははじまっていない。だから、両方とも慎重になっているのだ。ちょっとした間違いで戦闘が起きれば、すぐに全面的なぶつかり合いになる可能性がある。

「船はあるか、王平？」

「兵糧輸送のために、三百艘ほどは上流にありますが」

「そういうものではなく、ちょっと偵察に出るような小船だ」

「六挺艪の船が最も速いのですが、巫の偵察に行かれるのですか、張飛将軍？」

「ちょっと様子を見るだけだ。いい漕手を選んでくれ」

「危険です。呉軍は、水戦に長じています。速い船も揃っています」

「矢避けの楯は出しておこう。それに艪を八挺にしろ」

「では、私もお供いたします」

「いいだろう、戦に行くわけではない」

王平が、部下を呼んでなにか命じた。

船は、すぐに用意された。十挺の艪がある。八挺艪の船に二挺増やしたようだ。

「艪を増やすならば、こちらの方がいいのです。窮屈になりませんので」

張飛が乗りこむと、船はすぐに岸を離れた。岩山と、その上にある白帝城が遠ざかっていく。両岸には、山が迫っていた。流れに乗っているので、船は速い。

「あれが、巫城です、張飛将軍。守兵は、もうこちらに気づいております」

「捕えようと、出てくるかな？」

「すでに、船を出しているでしょう。それも、やがて見えてきます」

王平が言った通り、しばらくすると水面に点々と船の姿が見えた。近づいてくる。

王平は、張飛が反転と言うのを待っているようだった。張飛は、黙っていた。

船が近づいてきた。舳先に立っている兵の顔まで見えるようになった。

「どこの船だ？」

誰何された。

「上流の船だ」

張飛が答えた。呉軍は五艘で、乗っている兵は弓に矢をつがえている。

「どういうことだ？」

「だから、上流にいたら、下流に流された。ここは長江だろう。流れがある。仕方がないことだ」

「なにを言っている。捕えるぞ」

「ほう。俺を捕えると言ったのか？」

張飛は、立ちあがった。王平が前に出てくる。

「俺は、白帝城に帰る。どうやら白帝城と巫城を間違えたようだ」

五艘が、押し包むような動きをしてきた。

「船を反転させようか、王平。あまり面倒を起こすわけにはいかん」

「すでに、起こしておられます、張飛将軍」

「そうかな。巫城を見物しただけだぞ」

「船を停めろ。矢を射こむぞ」

先頭の船の兵が叫んでいる。

「済まんな。おまえらの大将に言っておけ。蜀軍の張飛翼徳が、上流から流されてきたとな。俺は、馬は扱えるが、船は苦手だ」

「張飛だと。でたらめを言うな」

いきなり、矢が射こまれてきた。張飛は蛇矛を執り、降りかかる矢を払い落とした。

「怒らせるなよ、俺を」

張飛が言うと、五艘の動きはぴたりと止まった。反転した船が、遡上をはじめた。五艘は追ってこない。

「巫城に三千か」

江陵にむかう場合のことを、張飛は考えていた。長江沿いにある城や砦はすべて潰し、船は沈めておかなければならない。兵糧は、長江を使って運ぶからだ。

「あれは、なんだ？」

しばらく遡上すると、岸を駈ける騎馬の一隊が見えた。

「沙摩柯です。敵ではありません。山中に住む部族で、このところ長江に降りてきて、しばしば姿を見せます。私は話し合いをしようとしたのですが、一騎討ちを望まれました。自信がないので、やめましたが」

「なんの話し合いをしたのだ、王平？」

「蜀軍に味方せよと。自分が強いと認める大将がいなければいやだ、と申しました」

　馬の乗り方を見ただけで、かなりの腕だろうということはわかった。

「山の部族の頭なのです。およそ五百人ほどを従えています。戦には、関心があるのでしょう」

「王平、おまえも淡々とした男だな。呉軍の船が来た時も、慌てはせず、ただ黙って立っていた」

「張飛将軍の指揮下に入ったと考えましたので、ただ御指示をお待ちしました」

「そうか」

　孔明が、王平を白帝に置いている理由が、なんとなくわかったような気がした。根っからの軍人なのだ。命令はきちんと守る。指揮する者が誰かということを、いざという時に忘れない。それを、部下にも徹底させている。

「出身は？」

「漢中です。ただ五斗米道に馴染めず、魏の徐晃将軍のもとにおりましたが、殿が陽平関まで進まれた時、麾下に加えていただきました」

「徐晃に、不満があったのか？」

「いえ。ただ、魏には漢王室を敬うというところがありませんでした。思った通り、曹丕は帝の位を奪いました」

「殿も、いずれ帝になられるぞ」

「曹丕が帝になったのですから、殿もなられるべきです。二人いれば、帝は帝ではありません」

船は、遡上を続けていた。流れに乗った時より、ずっと遅い。呉の船は、すでに見えなくなっていた。

「おい、王平」

岸の方から、叫ぶような声が聞えた。

沙摩柯という男は、まだ付いてきている。

「その、でかい男は誰だ？」

「蜀軍の、張飛将軍」

「将軍だと。蜀では、馬鹿を将軍にしているのか。上流から下流に流されただと。笑わせるな。そんな将軍では、呉に勝てぬな」

「挑発しているだけです、張飛将軍。お怒りになりませんように」

「確かに、馬鹿だ。上流から流されて来たなどと、馬鹿しか言わん」

沙摩柯は、呉の兵とのやり取りも、ちゃんと聞いていたらしい。

「一騎討ちを望んでいる、と言っていたな？」

「強いと思います。私には、勝てません」

「どこかで、船を岸に寄せろ」

王平が、漕手(こぎて)に指示を出した。

岩がいくらか突き出したところに、船が着けられた。漕手たちの動きは、きびきびしている。

張飛が岩に降り立つと、沙摩柯が駈け寄ってきた。十騎ほどを引き連れている。

「馬鹿と言ったので、怒ったのか？」

「馬鹿だな、と俺も思った」

「おかしなやつだ。おまえのような男でも、蜀では将軍になれるのか」

沙摩柯は、馬を降りようとしなかった。いい眼(め)をしている。

「おまえの、その武器」

「蛇矛(じゃぼう)という。おまえには、とても扱えまい、沙摩柯」

「俺は、俺の武器を持っている」

鉄の棒で、先端には棘が出た丸い玉が付いている。かなり重たそうだ。五十斤(約十一キロ)はあるだろう。

「蜀軍に加わらぬか、沙摩柯。もっとも、そうなれば好き勝手はできぬがな」

「俺は、戦がしたい。ただ、俺より弱いやつの下で闘いたくないのだ。蜀にも呉にも、俺より強いやつはおらん」

「おまえのようなやつが、戦場では最初に死ぬ」

「なんだと」

「一騎討ちが望みだそうだな。ひとつ俺とやってみるか?」

「ほう。馬鹿な上に、命知らずか。よし、馬を貸してやろう」

「いらん。おまえの相手など、馬なしでできる。ひとつ断っておくが、男の勝負だ。命のやり取りだぞ。それは、わかっているな」

「見くびるな。一騎討ちで俺が負けたからといって、俺の部下が手を出すこともない」

「よかろう。どこからでもかかって来い」

張飛は、草のあるちょっと広い場所へ行った。そこの方が、馬をよく駈けさせられる。

沙摩柯が、奇声をあげて突っこんできた。武器の扱いは巧みだ。片手で左右に振っている。最初の一撃はかわしただけだが、風が別のもののように張飛の顔を打った。

突っこんできた。擦れ違いざま、張飛は蛇矛の柄で沙摩柯の躰を馬から払い落とした。転がった沙摩柯が、顔を真赤にして立ちあがる。武器の扱いは、やはり巧みだった。ほとんど隙もない。しばらくあしらった。それから、沙摩柯の武器を、蛇矛で叩き落とした。茫然として、沙摩柯が立ち尽している。張飛は、蛇矛を置いた。

「素手で来てみろ、沙摩柯」

沙摩柯の顔に、再び覇気が漲った。突っこんでくる沙摩柯を、持ちあげては地面に叩きつけた。十度ほどそれをくり返すと、沙摩柯は動かなくなった。

「水でもぶっかけてやれ」

張飛は、船の方へ戻った。

「待ってくれ。いや、待ってください」

沙摩柯の声が追ってきた。

「俺を、蜀軍に加えてください」

「おまえには、命をひとつ貸した。それを忘れなければいい」

「軍に加えてはいただけないのですか？」

「部族の兵を率いているのだろう。大将のままでいろ。そして、時々王平に会え。王平の命令を、俺の命令だと思え。戦で手柄を立てた時、校尉（将校）として蜀軍に加えてやろう」

「いつです。いつ戦があります？」

「わからぬが、そう遠いことではない」

それだけ言い、張飛は船に戻った。

船は、すぐに岸を離れた。

白帝城に戻ると、張飛は営舎で地図を拡げた。王平が脇に立っている。船で兵糧を運べない場合は、どうすればいいか。多分、山中の間道があるだろう。

「王平、俺の言うことを書きとめておけ」

「申し訳ありません、張飛将軍。私は、ほとんど字を知らないのです」

「なんだと？」

「幼いころは貧しく、軍務に就いてからは、忙しくて覚えることができませんでした」

「そうか」

王平は恥じていたが、張飛も恥ずべきことを口にしたような気分になった。なにか言おうと思ったが、言葉が見つからなかった。

「俺が、自分で書く」

「申し訳ありません」

字を知らなくても、立派な校尉だった。学問だけがある臆病者（おくびょうもの）より、ずっとましだ。そう言おうと思ったが、やはり言葉は出なかった。

張飛が、考えたことを書きとめる間、王平は黙ってそばに立っていた。

「これから、兵糧が増える」

「はい」

「必要な時まで、管理するのもおまえの仕事だ。保管する場所は、確保してあるな？」

「はい、二カ所の山を」

王平が地図の上を指でさした。張飛が思っていた場所と同じだった。

「道は、二本つけてあります。輜重（しちょう）も通行できます。それぞれに三百ずつの守兵を置き、本隊は山の下に展開させます」

白帝城の地形は、守るためのものだった。攻める時は、この険しさは障害になる。兵が城にいても、あまり意味はないのだ。

「おまえに、任せておいていいようだ」

張飛は、それだけ言った。

4

一千の兵には、三日の休みを与えた。ひと月、駈け続けていたのだ。

張飛は、成都郊外で調練をしていた劉備に、巡回の報告をした。劉備が直接指揮している四万は歩兵が主体で、攻城兵器をかなり備えていた。張飛軍の三万は、身軽である。

「帝になられる準備が、成都では整いつつあるようですね、大兄貴」

幕舎で二人きりになると、張飛にとって劉備は、殿でもなければ殿下でもなかった。兄である。それは、帝になっても変らない。

「早く済ませたい」

「堅苦しいことを、大兄貴は嫌いだからな」

「曹丕も、いやな時に帝位を簒奪してくれたものだ。もっとも、それでじっくり準備はできる。兵糧も各地に集まり、白帝に運ばれはじめているぞ」

「呉も、江陵から夷陵にかけて、兵力を集中させはじめているようです」

「なにほどのことがある。陳礼が、おまえの軍の調練をやっているのを、つぶさに見た。呂布の軍にも劣らぬ。江陵まで、無人の原野を駈けるように行き着けるであろう。城を攻めるのは、私に任せておけ。荊州を回復し、江夏から武昌に攻め入り、必ず孫権の首を取ってみせる。必ずだ」

　二人きりの時、劉備は感情を隠そうとしなかった。

「孫権の首さえ取れば、呉は滅ぼさなくてもいい。魏という大敵と闘う時、呉はやはり必要になってくる」

「俺は速やかに、陸口から柴桑の方へ回り、孫権の退路を断ちます」

「あの軍なら、それができる。陳礼は、いい指揮官になった。調練を見ていて、あれがまだ少年だったころのことを思い出した。おまえは勿論、関羽も趙雲も、陳礼を手塩にかけたのだからな。あれほどの指揮官になるのもよくわかる」

　まだ、眼の前の敵しか見えないところがある。いまは、それでよかった。走り過ぎる時は、手綱を引けばいいのだ。

「準備が整ってくると、俺は少しずつ気が楽になってきました。これで、小兄貴に合わせる顔もある」

「涿県を出たころのことを、憶えているか、張飛。三人で、ひとつの夢を抱いたのだったな。かっとする私に代って、おまえが乱暴者の役割を引き受けた」

「俺は、もともと乱暴者なのです、大兄貴。大兄貴と会っていなかったら、どこぞの賊徒で終ったろうと、よく小兄貴と話したものです」

「長い流浪だったな、張飛」

「はじめのころは、ただの義勇軍で、俺には髭も生えていなかった。よく拗ねたりして、小兄貴に怒鳴られた。大兄貴に恥をかかせるなと、小兄貴はいつも言っていました」

不意に、劉備が涙を流しはじめた。

幕舎の外では、兵たちが動いている気配がある。調練は、まだ終っていないのだ。

「もう泣くまい、張飛。私はそう決めた。孫権の首を前にするまで、私は涙を流さぬ」

「大兄貴は、昔から涙もろかった。そんな誓いを立てて、大丈夫ですか?」

「戦の時に、私は泣いた憶えはないぞ」

「そうです、戦です、大兄貴。俺たちは、戦に生きた兄弟でした」

誰かが、幕舎の外から大声で報告を入れてきた。攻城兵器の準備が整った、と言っている。

「ひと月以上の巡回だったな。しばらく休め、張飛。私たちも、昔のように若くはない。本気で調練をやると、いやというほどそれがわかる」

劉備が、幕舎を出ていった。

少し遅れて張飛は幕舎を出、成都へ行った。

孔明にも、巡回の報告を入れる。

「王平というのは、なかなかの玉だ、孔明殿。あの男が白帝にいれば、荊州に攻めこんでも、後方の心配はしなくていいと思う」

孔明には、三十名ほどの警固が付いていた。馬良が、強引にそうしたらしい。孫権のような男なら、当然劉備か孔明の暗殺を狙ってくるだろう。いつも兵に囲まれている劉備より、ひとりで動き回る癖のある孔明の方が、ずっと危険だった。

孔明を失うことは、蜀にとっては十万の兵を失うことに等しい。

「それから、馬超が体調を崩している」

「張飛殿」

孔明が、腰をあげて言った。

「まだ、御自宅には戻られていないのですね」

「すべての報告が終ったら、戻るつもりでいるが」

「簡雍殿が、ひどい状態になっておられます。多分、あと一日か二日」

「大兄貴には？」

「殿が調練に出られたあと、大量の血を吐かれた。絶対に殿には言うな、と簡雍殿は言い張っておられる。董香殿は、二日前から簡雍殿の家におられます。すぐに行ってあげてください」

「そうか、簡雍が」

張飛は腰をあげた。孔明にむかって意味もなく頷くと、館を出た。

招揺を駈けさせる。

簡雍が住んでいるのは、ごく普通の民家だった。館などと呼べるものではない。

「あなた」

飛びこんできた張飛を見て、董香が言った。簡雍は、土気色の顔で寝台に横たわっていた。ひと月前より、さらに痩せている。

「おい、簡雍。まさか、くたばるんじゃあるまいな」

閉じていた简雍の眼が、かすかに開いた。

「張飛か」

かすかに、简雍は笑ったようだった。

「いやな時に戻ってくるものだ。もう少しで、董香殿を口説き落とせるところだったのだ。董香殿も、わしに心は許した。躰(からだ)を許すかどうか、きわどいところだったのだ」

「ひどいのか？」

董香を見て、張飛は言った。

「とても。あれだけの血を吐かれて、まだ生きておられるのが、不思議なほどです」

「憎まれ口を叩(たた)いているではないか、こいつは」

「あなたの、顔を見られてからです」

張飛は、蒲団(ふとん)から出ている简雍の手をとった。掌(てのひら)の中で消えてしまいそうな、痩せた手だった。简雍が、眼を閉じた。するともう、生きている人間の顔ではないように見えた。

「長生きしたもんだ」

「そんな歳か、簡雍。おまえは、まだ若い」

「わしのことじゃない。おまえのことだ」

「憎まれ口か」

「関羽は死んだ。考えてみると、長かった。ずいぶんと戦もした」

「おまえは、戦の時はいつも姿をくらましていた。闘っていたのは、俺たちだ」

「当たり前だ。おまえらが使うのは軀。わしが使うのは頭だったからな」

「もういい、喋るな」

「董香殿にも、引きとって貰えぬか。もう三日も、そばにいていただいた」

「ひとりで、ひっそり死にたい、などとぬかすなよ、簡雍。俺もここにいて、おまえがくたばるのを見ていよう」

また眼を開け、簡雍はかすかに笑った。

「涿県からだ。長かったな。わしは、殿と酒が好きだった。人が死にすぎる乱世は、嫌いだった」

死んだ兵士の家族を、丁寧に見舞っていると劉備から聞かされたのは、だいぶ経ってからだった。酔っ払いと口では言っていたが、誰も簡雍の酒は止めなかった。

「酒を、飲むか、簡雍？」

不意にこみあげてきた涙をこらえ、張飛は言った。

「いくらでも、飲ませてやるぞ」

「ありがとうよ、張飛。ただ、わしはひとつだけ決めていたことがある。死ぬ時は、素面で死のうということだ」

「死ぬものか、おまえが」

簡雍が、眼を閉じた。

眠ったようだった。夕刻になり、朝になっても、簡雍は眠り続けていた。かすかに、息はしている。

「世話をかけたな、張飛」

夕刻、簡雍がようやく眼を開いた。それきり、眼は閉じられなかった。瞬すらもしなくなった。張飛は、手をのばし、その眼を閉じてやった。後ろで、董香が嗚咽している。

しばらくして、孔明がやってきた。下女が知らせたようだ。

「俺は、帰る、孔明殿」

死んだ簡雍のそばにいても、どうにもならなかった。招揺を曳き、董香の肩を抱いて、張飛は館まで歩いた。

厩では、招揺の息子の招影が、張飛を見て嬉しそうないななきをあげた。

「あなた、しばらく眠ってください」

「そばに、いてくれ、香々」

「あなたが眠るまで、ここにいますわ」

張飛は寝台に横たわり、眼を閉じた。董香の躰に手をのばす。董香は、寝台の端に腰かけていた。乳房に触れた。やわらかく、大きかった。董香の手が、張飛の額から頬を撫でた。

「簡雍は、楽になったのだろうか、香々？」

「わかりません。死んだ先のことなど、誰にもわかりませんわ。でも、穏やかなお顔をして去っていかれました」

「そうだな」

「いろいろとおっしゃっていましたが、簡雍様も、生きようと闘っておられました」

「もう駄目だとは、旅に出る前からわかっていたが、死なれてみると、嘘のような気がしてくる。この世から、人がいなくなる。そんなことは嘘なのだとな。小兄貴については、いまもそうだ」

「関羽様も、亡くなられたのです。あなたも私も、いずれ死にます。死ぬ時は、みんな同じです。私は時々、あなたが戦場で死ぬ夢を見て、叫び声をあげることがあります。でも、考え直します。死ぬより、死なれる方がつらいのだと。嘆きも、悲しみも、生きている自分のためのものなのでしょう。私は、そう思うことにしています」

「香々、俺は、おまえが死ぬことなど、考えられん。そんなことは絶対にない。そう思わなければ、生きていけぬ」

「死にませんわ、あなたが生きている間は。甘えられる相手が、いなくなってしまいますものね。世間では、これ以上ないほど強い男と言われていても、私に対しては弱い男でいいのですよ。甘えても、怯えても、泣いても、それを受けとめられることが、私にとっては幸福なのですから」

それから、さらになにか喋った。いつの間にか、張飛は眠っていた。

翌朝、張飛は招影を引き出し、郊外の張飛軍の駐屯地へ行った。

「簡雍殿が、亡くなられたと聞きましたが」

陳礼が、営舎に入ってくると言った。

「ここで祈れ、陳礼」

「はい」

「兵たちにも、知らせてやれ。俺たち軍人にはわからぬところで、簡雍は兵に好かれ、慕われていた」

「私も、好きでした」

「祈るだけでいい。軍人は、人の死に心を動かしてはならん」

頷き、一礼して陳礼が出ていった。

張飛は、調練の内容を考えはじめた。一万の騎馬隊を、最も効果的に動かすには、どうすればいいか。効果という点からいうと、一千騎ほどが一番いい。一千騎ずつ十隊に分け、それぞれがどこかで連携する。時には二千になり、五千になり、一万になり、再び十隊に割れる。その情景が、張飛の眼に浮かんだ。まるでひとつの生きもののように、集まっては散る十の騎馬隊。

野戦では、無敵だ。呂布の騎馬隊の規模を、ずっと大きくしたようなものになる。ただ、一万騎だと、力の差がかなり出てくる。それをどうするかだ。力の差のない者同士で、隊を組ませればいいのか。そうすると、今度は騎馬隊の力に差が出る。

調練の準備が整っている、と陳礼が知らせに来た。

5

夷陵から、淩統が来ていた。

それに朱然、徐盛、朱桓が、西部軍の将軍の陣容だった。それで充分だと陸遜は思っていたが、驚いたことに、建業から韓当が来るという知らせを受けた。

すでに、退役したも同然の老将である。

張昭とともに、武昌を発ったという。

「どう思う、淩統？」

「どうと言われても、韓当将軍は、いまおいくつなのですか。躰も動かないのではありませんか。叛乱の鎮圧などではないのです。相手は蜀、しかも先頭を切ってくるのは、あの張飛に間違いはないのですよ」

「しかし、張昭殿が直々に連れてこられるらしい」

孫権も、許したということだ。

西部軍の指揮権は、陸遜が持っている。とすると、あの老雄が自分の指揮下に入ることになるのか、と陸遜は思った。

西部軍の指揮は、生きていれば呂蒙が執ったはずだ。陸遜に任されたのは、張昭が強く推したからだという。どこを張昭に買われたのか、陸遜は知らなかった。

ただ、蜀軍を迎撃して、打ち払う自信はある。

張昭が来た時に、軍議が開かれることになっていた。将軍が全員集まる軍議である。そのために、淩統も夷陵から来ているのだ。

江陵城の、軍船の溜りである。

周瑜が作りあげた呉水軍は、いまだ他の追随を許さないが、防御戦になるとあまり役に立たない。攻撃戦の時の機動力が、持ち味なのだ。載せた兵馬を休ませながら、昼夜で移動できる。ここだと思った場所に、上陸できる。しかし防御戦になると、船だけを守るというわけにはいかないのだ。城を守らなければならない。船で攻囲軍の背後に回ろうとしても、水上では埋伏の計は難しい。

だから呉軍は、ここ数年、陸上兵力の増強に力を注いできた。

「蜀軍は、騎馬隊の猛攻だろうな。淩統。それに対して、船が使えるかどうかだ」

「難しいと思います。陸上でやり合う覚悟が、必要ですよ、陸遜殿」

「しかし、水軍力も生かしたい」

「そうですね。実は私も、夷陵でずっとそればかり考えています。ある場所に兵力を移動させる、ということぐらいしか思いついていません」

「とにかく、明日の軍議で」

張昭と韓当が江陵に到着するのは、夕刻になるはずだった。軍議は明日の朝から、と予定してある。

凌統は、夷陵へ運ぶ物資を、自分の眼で検分するいい機会なので、兵站基地の方へ行った。

陸遜は、軍船の溜りを見て歩いた。船は、火攻めに弱い。特に係留したままの船が弱いのだ。それは、赤壁で、自分たちの手で証明してもいる。

周瑜なら、どういう策を立てるだろうか。蜀が侵攻してくるのと同時に、魏が合肥に大軍を送ってきたら、孫権はどちらかを放棄しようとするだろうか。

よく、赤壁を思い出した。周瑜と諸葛亮が、長江を眺めながら、並んで立っていた。その二人の姿が、陸遜をなぜか圧倒したものだった。あれから、どれほどの時が過ぎたのか。

周瑜が思い描いた夢は、陸遜の中でかたちを変えて生きている。凌統の中でもそうだろう。だからこそ、同盟を破って蜀から荆州を奪った。蜀は雍、涼二州を奪り、呉は徐、予の二州を奪ればいい。それで、三国の力は拮抗してくる。

周瑜の天下二分ではなく、天下三分である。三国の力が拮抗した時から、この国では別の争闘がはじまるはずだ。それは戦ではなく諜略の争いかもしれないし、民の豊かさの争いかもしれない。

従者が、声をかけてきた。

一里（約四百メートル）ほど先の樹木の下に、人影がひとつある。従者たちを待たせ、陸遜はそちらへ歩いていった。

「久しぶりではないか。江陵へは、張昭殿から呼ばれたのか？」

路恂は拝礼し、一度頷いた。

「ならば、おまえも軍議に出るのか？」

「いえ、張昭様に呼ばれただけです。今夜、お目にかかることになっております」

「致死軍は？」

「山中におります。いつでも動けるように」

どこの山中か、路恂は言わなかった。もともと、山岳戦のための兵である。しかしその動きの迅速さや、行動の隠密性を評価され、このところ奇襲部隊として使われることが多いようだった。兵力は、千五百ほどに減っているという。山越族だけの部隊で、兵として適格な者の数が減っているのだ。

「山越族は、いまも丹陽郡の山中か？」

「はい。致死軍が動いているかぎり、困窮することもありません」

「つらい仕事をさせられてきたのだな」

合肥の戦線で、奇襲部隊となったりしている。もともと得意とする山岳戦ではないので、犠牲も出しているのだろう。

「幽殿は、どうしておられる？」

江陵にいた、周瑜の女。揚州のころから、周瑜は間者として使っていたようだが、江陵で周瑜の子を孕んだ。それは、自分と淩統だけが知っていることかもしれない、と陸遜は思っていた。

「死にました。母子ともに」

真偽はわからない。しかし、そうしておいた方がいいかもしれない、と陸遜は思った。張昭あたりが知ると、なにを考えるかわからない。山越族に周瑜の子がいるということが、いまの呉では微妙な意味を持ちかねない。

「西部軍に、致死軍が加わるという話が、張昭殿から出ていないか？」

「実は、それをお願いするために、陸遜様の前に姿を現わしました。私は別の任務を帯びておりますが、どこかで致死軍を使うことを考えてはいただけぬかと」

「どういうことだ？」

路恂が指揮しない致死軍を使え、と言っている。

「致死軍にも、優れた指揮官が出てきております。できれば、陸遜様の麾下で働くのが、望みです。それだけ、直接お伝えしたかったのです」

「考えておく。約束はできないが」

路恂が、頭を下げた。そして身を翻すと、駈け去った。

路恂を見て、陸遜にはひらめきかけたものがあった。しかし、はっきりしない。周瑜の顔と、交錯してしまうのだ。しばらく考え続け、それから陸遜は歩きはじめた。

張昭と韓当が乗った船が着いたのは、予定通り夕刻だった。

陸遜が、迎えに出た。張昭は船が苦手らしいが、渡り板を渡る韓当の足取りはしっかりしていた。髪も髭も白いが、眼には猛々しい光があった。

「私は、休ませて貰う。どうも、船の上では眠れぬ」

江陵城の館に案内すると、張昭が言った。

「明日の朝、迎えの者をやります」

「韓当殿は、さすがに軍人で、しっかりしておられる。城の防備や、兵たちの様子を御覧になりたいそうだ」

「私が、御案内いたしましょう」

陸遜は、従者に命じて馬を用意させた。江陵城は、劉表のころから兵站基地で、城内は広い。武器や兵糧も、万一に備えて分散してある。

「済まぬな、指揮官直々に」

「なにを言われます。しかし、韓当将軍がお見えになるとは、夢にも思っておりませんでした。力強いかぎりです」

「そんな言い方は、しなくてよい。わしは、実戦の役には立つまい。いないと思ってくれてよいのだ」

馬を並べて進んだ。陽が落ちてしまうまでには、もう少し時がある。

韓当が乗ってきた船に、牙旗（将軍旗）は揚げられてはいなかった。つまり、将軍として来たわけではない、ということだ。

「何十年も、戦場で生きてきた。その経験が役に立つことが、あるかもしれん。そういう時に、なにか言わせて貰う。しかし、絶対的なものではない。ただの意見で、無視してもいっこうに構わぬ」

「しかし韓当将軍」

「戦だ、陸遜。指揮官が思い通りにできなかったら、負ける」

「わかりました」

「老いぼれの眼がひとつあってもいい、と殿はお考えになられたのだろう」

実際のところ、陸遜は韓当をよく知らなかった。呂蒙、甘寧というあたりなら、指揮を受けたことがある。

「赤壁を思い出すな、陸遜。あの時の周瑜将軍も若かった。十三万の軍を動員できるのに、三万で闘おうとされた。残り十万で、長江沿いに千里の陣を敷かれてな」

千里の陣。路恂と話していてひらめいたものが、はっきりしたかたちをとった。長い、長すぎるほどの、千里の陣。そのまま使うことはできないが、なにかそこから新しいものが出てこないか。

陽が落ち、暗くなると、方々で篝が焚かれはじめた。

「館へ戻られますか、韓当将軍。明日からは、いくらでも御覧になれます」

韓当を、館まで案内した。

それから陸遜は、営舎の居室に籠り、地図に見入った。巫城から夷陵まで、ほぼ四百里（約百六十キロ）。いまのところ、夷陵を防衛線と考え、そこに兵力を集中させている。しかしここが破られると、精強な蜀軍が、荆州の原野を駈け回ることになる。それを阻止できるかどうか。これは、緒戦の勝負ではなく、全局面を決定付ける。

　夜更けまで、陸遜は地図を見続けていた。

　朝になった。

　軍議の準備ができている、と従者が知らせに来た。

　陸遜のほかに、若い将軍が四名。それに張昭と韓当である。凌統が、全体の情勢と、西部軍の布陣の説明をした。それについてやり取りがなされていく間も、陸遜は長い陣について考えていた。

「騎馬隊一万を中核とした張飛軍は、精強無比だ。まず、これを崩して貰わなければならん。それから、また別な戦になる。私は軍人ではないので、細かい作戦は任せよう。ただ張飛の騎馬隊は、西部軍にとっては大きな脅威だ」

　わかりきっていることを、張昭は喋っていた。肚の底に、もうひとつなにかある。それが、張昭という老人だった。

「劉備は、自ら帝位に即くことを、内外に宣言しています。蜀軍の準備は整っていますが、攻撃は即位の儀式が終ってからでしょう」

「とにかく、手強い。同盟の復活ができぬか、殿は使者を出される。蜀と呉が同盟していることは、魏の大きさを考えれば自然の姿だからな」

「無理でございましょう、張昭殿。理屈はそうでも、先に同盟を破ったのはこちらなのですから。ここは肚を決めて迎撃するしかありません。和議が成るなどということを考えずに、戦に集中すべきです」

朱然が言った。韓当は、なにも発言していない。

「私は文官だから、できれば戦をせずに済ませる方法がないか、と考える。武官には武官の考え方があろう。それを、とやかく言うつもりはない」

張昭の表情は、まったく動かなかった。

「致死軍を、西部軍に投入していただけませんか、張昭殿？」

「ほう、致死軍をか、陸遜」

「夷陵までで蜀軍を止めなければ、この戦はきわめて苦しいものになります。張飛の騎馬隊が荊州の原野を駈け回ると、止めることはできないかもしれません」

「それで？」

「私は長江沿いに、長い陣を敷こうと思います。巫城から夷陵までです。その間に、なんとかいたします。長江の両岸は峻険な山岳地帯です。致死軍の力が生きる時が、必ずあると思います」

　巫城から夷陵までの陣。ほかの将軍たちも、啞然とした表情をしていた。

「蜀軍には、弱点がひとつあります。張飛軍、劉備軍、ともに精強ですが、軍の質に差がありすぎます。精強であればあるほど、その差は大きくなります」

　韓当が、身を乗り出した。張昭は、相変らず表情を変えない。

「機動力が違いすぎます。そこをうまく衝けば、張飛の騎馬隊を原野に出さずに済みます。そのためには、奇襲も必要となります」

「それで、致死軍か」

「戦場を、原野ではなく、巫城から夷陵の間だと考えるとです」

「敵に、持てる力のすべてを出させない。わしは、悪くないという気がする」

　韓当が言った。

「この作戦は、もっと綿密に組みあげる必要がありますが、全体の方向としては、そんなふうに考えたいのですが」

　自分の戦なのだ、と陸遜は思った。負ければ、処断される。しかしその覚悟さえすれば、なんでもできる。

「路恂は、いま私の下で働いておるが、本隊を西部軍に加えることはできる」

　張昭が言った。

やはり、顔に表情はなかった。

死に行く者の日々

1

許昌の治安が、ようやくよくなってきた。

朝廷が洛陽に移り、執金吾（警視総監）の軍も、それに伴って動いた。兵力が最も少ない時に、司馬懿は許昌に入った。麾下が五千、いままでいた軍が一万である。四千を十隊に分け、許昌を巡回させた。犯罪を訴え出ることができる役所も作り、そこにも一千の兵を所属させた。

もとからいた軍は、老兵が多い。それを郝昭に任せ、調練をやり直した。長駆するような戦は、できなくてもいいのだ。一万が、一団となって動ければいい。

郝昭は、長安で見つけた校尉（将校）だった。長安郊外の、小さな砦の築き方に、司馬懿は眼をとめたのだった。守りに強く、攻撃は不得手という校尉だ。副官にしても、誰も注目はしなかった。

許昌周辺の、小さな城郭のいくつかを、司馬懿は攻めた。いずれも、関羽が北進してきた時に、叛乱を起こした城郭だ。関羽が死ぬと、再び魏に従い、知らぬ顔を決めこんでいる。

一万の兵で、そういう城郭を落とせた。もとより、関羽の死で戦意を失っているのだ。許昌周辺を安定させておけば、当面の任務は果したことになる。

曹丕と後継を争った曹植の後ろ楯、丁一族を皆殺しにしたのは、司馬懿だった。帝に譲位を迫る工作をしたのも、司馬懿だ。丁一族に近い将軍たちからは、嫌われている。廷臣たちの中で、反撥を示す者も多い。

こういう時には、じっと動かないことだ、と司馬懿は思っていた。曹丕の意を受けて手を汚したが、その代償も求めなかった。

本来は功労者であるべき司馬懿を、曹丕は冷遇している。そういう、冷たいところはある男だった。その冷たさが、実は司馬懿は嫌いではなかった。なにを考えているのかということも、ある程度は読めた。

曹丕はいま、すべてに残酷な気分になっている。きわどい思いをして、曹操の後継になった。反対した者たちを処断したいところだが、領内は安定させなければならない。だから丁一族だけを血祭りにあげ、あとは懐柔する方策を取っている。

曹丕がいま残酷さを隠さない相手は、正室の甄夫人と、弟の曹植、そして自分だと司馬懿は見ていた。軍内の夏侯一族など眼障りだろうが、これも徐々に遠ざけるという方法を取るはずだ。

夏侯一族の軍内での力が弱まるのは、司馬懿には好都合だった。丁一族と近かったのだ。丁儀が最後に泣きついたのが、夏侯尚のところだった。将来を見ていた方がいいと、司馬懿は事前に恫喝していたのだ。夏侯一族に、快く思われているはずはなかった。

ここでじっとしていても、出番は遠からずある。

曹丕が次に悩むのは、甄夫人を皇后とするかどうかだろう。曹丕の性格から考えると、いまの状態で甄夫人を皇后にはできないはずだ。しかし、関係を改善できるとは思えない。曹丕は横暴で、甄夫人は従順。しかし曹丕は甄夫人を愛し、甄夫人は曹丕を憎んでいる。すべてが背中合わせなのだ。その相克の中で、曹丕は孤独な決断を迫られることになる。

国は、治まっている。曹丕は、卓抜な民政の手腕を持っていた。それも、直接民と接するというようなことでなく、組織を動かして統治するというやり方だ。魏ほどに大きくなれば、その方法がよりよいと思える。

しかし、軍事の才はあまりなかった。その自覚が、曹丕にはある。だから誰に補佐を求めるべきか、常に考えているはずだ。古い将軍たちは確かに戦歴は豊富だが、軍内部に力を持ち過ぎることを、曹丕は警戒するだろう。若い将軍の実力は、まだわからない。

多分、洛陽では見えにくいものが、許昌にいるとよく見えた。これから、文官で登用される者が多く出てくるだろう。側近と呼んでもいい者も、現われはじめているはずだ。しかし、ほんとうに力を持つまでには到らない。曹丕こそが、文官の頂上に立つからだ。

軍権を誰が握るのか。魏の中で力を持つとしたら、その人間だろう。

麾下五千の下位の将軍に、司馬懿はしばらく甘んじているつもりだった。

三月に入ると、一万の兵を率いて司馬懿は出動した。

もうひとつ、落としておくべき城郭があった。魯陽城である。関羽北進に合わせて、叛乱を起こしていたが、宛の管轄かどうか微妙な場所にあるのだ。魯陽を落とすと、宛の守将には連絡を入れ、承諾を文書で受けた。

「まあ、戦をして失敗したくない。若い軍人には、そういう傾向が出てきているようですな」

　馬を並べて進みながら、尹貞が言った。

　四十八歳で、司馬懿の軍学の師になる。いまは、参謀としてそばにいた。実際の戦より、諜略の方に卓抜なものを持っている、と司馬懿は見ていた。額から右眼にかけて赤痣があり、それを隠すために顔を右にそむける癖があった。

「魯陽は、守兵四千か」

　宛の守将が、攻撃をためらう兵力ではあった。四千の兵が守る城を落とすには、二万の兵力で数カ月はかかる。

　魯陽へ到着すると、司馬懿はすぐに攻囲の陣を敷いた。ありふれた陣である。

「四、五日、ゆっくりとなさいませ、殿」

　尹貞が言う。すでに、諜略は成っているのである。数日中に内応があり、首がひとつ差し出されてくる。

「一度ぐらい、兵に攻めかけさせよ、尹貞」

「心得ております」

　待つ間、司馬懿は幕舎で、間者の情報を分析した。曹丕は、五錮の者という、強力な諜略部隊を継承したが、それを使うわけにはいかない。四人の間者を、銭で雇っていた。

報告のほとんどは、呉と蜀に関するものだった。

呉と蜀の一戦は、避け得ない。なにをどう分析しても、そう思えた。

理屈ではないもので、劉備は動いている。劉備という男が、この乱世を生き抜いてきた理由が、司馬懿にはわかるような気がした。理屈だけでは動かない。損得もあまり考えない。それが、不思議に人を魅きつけたのだ。

逆に、孫権は冷静に利を考える。手段は選ばずという感じさえあるのだ。それも、国の方向を決める、大きな力になっている。

だから、呉蜀の同盟は、破れるべくして破れたのだ。

曹操は、どうだったのか、卓越した先見は持っていた。貪欲でもあった。そして、理屈ではないものでも動いた。すべてが、大きい。人を畏怖させるような大きさである。曹操だけは、測りきれなかった、と司馬懿は思う。そして、曹操に好かれることもなかった。

野心がある、と思われたのだろうか。確かに、仕官した以上、出世は望む。それは、誰もが同じではないか。曹丕と、なぜか馬が合った。それが、気に障ったのか。

曹操は、明らかに曹植の方を好んでいた。曹植も、曹操に好まれるよう、闊達に振舞い、誰彼となく近づけた。詩才もあった。

しかし司馬懿は、曹操に人を見る眼があるなら、曹丕を選ぶと確信していた。曹植は人望があったが、その人望に縛られていた。やがて身動きがとれなくなることは、見えていた。一度得た人望は、失うのがこわいものだ。

焦燥の中にある曹丕を、司馬懿は抑え続けた。あまり側近を置かせなかったし、なによりも曹丕の閥というものを、家中に作らせないようにした。

そして、ともに待った。

まず、副丞相になった。それで後継に決まったわけではないということは、二人で何度も確認した。曹丕を副丞相にすることによって、曹植になにかを伝えようとしている、とも思えたからだ。

曹丕は、耐え続けた。曹植を後継にという動きは、家中ではさらに露骨になっていたのだ。曹丕が耐え続けられたのは、事の本質がなにかを見通す、賢明さがあったからだ。名君の素質である、と司馬懿は思った。

大らかさがない。軍事の能力では、いくらか心もとないものがある。しかし、冷静な判断力はある。人を見る眼もある。

曹操は魏を建国し、魏公となった。それでも、後継の決定はなかった。唯一の曹丕の側近と言ってよかった自分が、閑職に追いやられたこともある。その間は、曹丕と話もできなかったが、曹丕はひとりで耐え続けていた。

後継が正式に決定したのは、曹操が魏王に昇ってからである。

呉と蜀が争っている時に曹操の後を継ぎ、すぐに帝に昇った。いま魏は、外敵がいないという状態なのである。その意味で、曹丕は運を持っている。

問題は、劉備の理屈を超えた動きとは別に、諸葛亮の戦略がどうなっているかである。劉備の動きをうまく生かした戦略を、諸葛亮は組み立てかねない。漢中争奪戦で力を使い果したあと、即座に北進してくるとは、誰ひとり考えなかったのだ。

劉備はいま、帝になろうとしている。そうするであろうことは、曹丕とともに予測していた。魏からは、朝廷の陰謀が消えた。曹丕が帝になった意味は、それで充分に果したのだ。

攻囲して三日目に、一度攻めかけた。

城からの反撃は弱々しいものだったが、攻める方にもどこか迫力が欠けていた。自分が指揮官でありながら、司馬懿はそういうところを冷静に見ていた。

半年もあれば、精強な軍も懦弱になる。だからこそ、曹操は夏侯惇に調練を怠らせなかった。魏軍は、これから徐々に弱体化し、数だけ多い軍ということにもなりかねない。

四日目に内応があり、城門が開かれた。首がひとつ差し出されてくる。結局、ほとんど血が流れることはなかった。

許昌に帰還し、洛陽に報告を入れた。

城内の営舎とは別に、小さな館を二つ司馬懿は持っていた。洛陽が都となってから、許昌の人口はかなり減った。空いている館も、多かったのだ。

司馬懿が、自分の欠点だと思っていることがひとつあった。情欲が強いのである。昔からそうだった。女が、二人必要なのだ。ひとりずつ、館に住まわせていた。女に対する、強い好みはなかった。ごく普通の女で、房事が嫌いでなければいい。女の口に精を放てば、それきりしばらくは関心がなくなる。口に精を放つのは、子を孕ませる女は選ぼうと思っているからだ。

二人とも、許昌で見つけた女だった。二人を囲う余裕がなかったころは、女は半年で使いものにならなくなった。

女体を抱く時、曹丕と甄夫人のことをしばしば考えた。どちらが翻弄しているのか、見ていてもわからない。愛憎が絡み合い、お互いの人生のどこかを、食い荒らしている。

救いは、息子の曹叡がよく育っていることだった。母である甄夫人とは、何年も会っていないはずだが、そういう翳も感じさせない。曹操は、ことのほか曹叡をかわいがっていた。

しかし、曹丕は曹叡を皇太子とすることができるのか。甄夫人に対するこだわりが、曹叡にどう影響してくるのか。

「そろそろ、殿は洛陽に呼び戻されるかもしれませんな」

営舎では、尹貞がいつも洛陽の情勢を分析している。軍の構造がいくらか変りはじめ、若い将軍が次々に誕生していた。張遼や徐晃や張郃という歴戦の将軍は、すでに老いはじめていた。曹洪や曹仁も同じだ。

ここでもやはり、魏軍に緩みが出てくるだろう、と司馬懿は思っていた。世代の交代というものは、頂点がよほど強力でなければ、うまくいかないのだ。曹丕には、それだけの強力なものがまだない。

だから、自分が洛陽に呼び戻される。それは間違いないが、まだ時期が早すぎた。

「叛乱でもひとつ起こさせますか。殿が許昌から離れることができないように」

尹貞は、司馬懿の肚を読んでいた。

甄夫人のことが、まだ片付いていない。ほかのことでは手を汚すことも肯んじたが、甄夫人の件には関わりたくなかった。たとえ曹丕に頼まれてなにかやったにせよ、後で恨まれることもあり得るのだ。男女の情愛に関わっていくのは、危険だった。

「叛乱はやめよう。青州あたりに、なにか問題があればいい」

「臨淄に、大きな問題があるとは思えませんが」

曹植の動きを理由に、司馬懿はいましばらく許昌に留まるつもりだった。

「問題は、作ればいいのだ」

「では、そういたしましょう」

尹貞が、にやりと笑った。顔の右側の痣が、別の生きもののように動いた。人はそれを気味悪がるが、昔から司馬懿は気にしたことがなかった。

2

趙雲が、江州（重慶）からやってきた。

劉備が、蜀漢帝国の帝になる。その即位の儀式に出席するためである。

伴った兵は五百騎と少なかったが、女をひとり連れていた。途中までは、船を使ったようだ。儀式に出席するために成都に来た将軍は、趙雲ひとりだけである。蜀には戦時という空気が続いていて、兵の配置もそのままだった。

張飛も、成都郊外に軍を展開させ、陳礼に指揮を任せていた。

「女房だと。馬鹿を言うな」

董香に言われて、張飛は啞然とした。

「いえ、朱鳳様といわれて、間違いなく奥様です。御挨拶に見えられましたわ」

「まだ若い女だったぞ」

「二十五歳におなりだそうです。落ち着いた、美しい方でした。陳倫様のところにも、行かれたはずです」

「女嫌いの趙雲が、女房だと。それも二十五だというのか」

「若い奥様が羨しいのですか、あなた?」

「そんなわけではないが、あの趙雲がか」

「もっと驚くことがございます。すでにお子様がいらっしゃるそうです。三歳になられるとか」

「だいぶ前から、趙雲はその女と」

「あなた、奥様ですよ、趙雲様の」

「わかっているが、しかし、いつどこで？」

「成都の方です」

「成都の朱氏だと」

思い当たることは、なにもなかった。趙雲と女というのが、張飛の頭の中でうまく結びつかない。そんなことを、感じさせたことはなかったのだ。

「人とは、そういうものなのかな、香々？」

「なにがです？」

「ある日、突然女を好きになったりする」

「さあ」

董香が笑いはじめた。

翌日、劉備が即位したら宮殿と呼ばれることになる館に、張飛は呼ばれた。

そこで、朱鳳に引き合わされた。趙雲と並んでいると、娘のようにしか見えない。

趙雲は、堂々と胸を張っている。

「なぜ隠していた。水臭いではないか？」

「ちょっと恥しくてな」

「そんな顔はしておらんぞ、趙雲」

「妻として、会って貰うことにした。夫の私が、こそこそしているわけにはいかん。それでは、妻がかわいそうではないか」

劉備が笑った。張飛も、笑うしかなくなった。孔明が入ってきて、朱鳳に挨拶した。やはり、劉備が呼んだらしい。

しばらく歓談して、朱鳳だけが退出していった。

四人だけになった。

「私は、蜀漢の帝になる。曹丕が、魏の帝になったからだ。帝はひとりきりのもので、二人いれば両方ともまことの帝ではない。即位の儀式はするが、めでたいものでもない。めでたいのは、趙雲の結婚の方だ」

劉備が次に言おうとしていることを、張飛はただ待った。孔明も趙雲も、黙っている。

「関羽が死んで、一年以上が経った。そして、曹操も死んだ」

「一年」

張飛は、呟いた。長かったのか短かったのか、よくわからない。ただ兵を鍛え続けてきた。そして、戦の準備は整った。

「儀式が終ったら、蜀は戦闘態勢に入る。そして、機を見て荊州へ攻めこむ」

「お待ちください、殿。私は以前にも申しあげましたが、まことの敵を見失うべきではないと思います。魏です。魏を討ち倒せば、呉など思いのままです。その時に、孫権の首を刎ねるなり、八ツ裂きにするなりすればよいと思います」

「おまえの意見はわかっている、趙雲。そして、正しい」

「正しいと、認められるのですか、殿？」

「認める。認めた上でなお、私は孫権を討ちたいのだ」

「できれば、私もそうするべきだと思います。しかし、無理です。魏につけこまれます。そして、増々魏を大きくします」

「それでも、やらねばならぬ。人には、忘れてはならぬことがあるのだと思う。私は、それを忘れる人間になりたくないのだ」

「俺もだ、趙雲。おまえが言うことはわかる。しかし、わかるということがなんなのだ。戦がない方がいい。それを人間はわかっている。それでも、戦をする」

「それとこれとは別だ、張飛」

「俺の気持の中では、別ではないのだ。別であってはならん、とも思う」

「殿はいい。張飛もいい。しかし、兵はどうなのだ。ただ死ね、と言えるのか。私には言えぬ。言うべきではないのだ」

「殿」

黙って聞いていた孔明が、口を開いた。

「孫権は、本拠を武昌に移しました。武昌まで、お奪りください」

「孔明殿」

「待たれよ、趙雲殿。とにかく、武昌までは奪るのだ。魏がどう出ようと、天下がどう動こうと、武昌は奪る。孫権の本拠だからです。武昌で孫権を討てれば、それでいいのです。討てない場合は、いま少し時をいただけませんか」

「どういう意味だ、孔明？」

「私は、臣として、殿が揚州へ入られるのはお止めします。永久にではありません。せめて二年。それぐらいの準備をしなければ、揚州進攻は無理です。ですから、できれば武昌で孫権を討ってください。孫権が揚州へ逃げこんだら、私に時をください」

揚州という言葉は、これまであまり張飛の頭に浮かんだことはなかった。荊州と孫権。その二つがあっただけだ。揚州という言葉は、かすかだが張飛を戸惑わせた。

「武昌を奪ってなお孫権を討ちきれなかったら、二年待てと言うのだな、孔明？」

「その間に、私が策を考えます。新たなる準備も整えます」

孔明の眼が、不気味なほどの光り方をしていた。

孔明の本心は、荆州進攻でさえ反対のはずだ。南方を平定してのち、雍州を奪る。それによって、涼州は手に入る。益、雍、涼の三州をもって、魏に対抗していく。荆州を失ったいま、孔明が構築する戦略はそれだろう。天下を目指すなら、それ以外にはないと言える。

それでも、孔明は武昌攻略までと、妥協していた。

「妥協すべきではない、孔明殿」

「妥協？」

「孔明殿が最善だと思う戦略はあるのだろう。それを捨てて、武昌を奪れなどと、軽々しく言わないでくれ」

張飛は、劉備の方に眼をむけた。

「言いたいことを、言わせて貰っていいですか、大兄貴？」

「言ってみろ」

「俺の軍が三万。大兄貴の軍が四万。これはともに精鋭だ。この七万で、孫権を討つ。孔明殿には馬鹿げて思えるだろうが、俺は荆州がどうの、武昌がどうのと考えてはいない。孫権の首だけなのだ」

「馬鹿げているとは思いません、張飛殿。それどころか、人にとってなにが大事なのか、教えられているような気がします」

「七万で、孫権を討つ。益州には、七万以上が残っているはずだ。寡兵で申し訳ないが、孔明殿は自分の戦略を、その兵力で推し進められればよいと思う。進む先に、滅びがあるのか勝利があるのか、どちらにしても信じる道を行くべきだと思う」

「張飛殿、ひとつだけ申しあげておく。私にとって、戦略はあくまで二次的なものだ。殿がおられてこその戦略。行きたいところへ勝手に行けというのは、聞き捨てなりません。すべて、殿がおられるからこそではありませんか」

「しかし、孔明殿は妥協しているではないか。俺は孔明殿を認めている。だから、俺のために妥協などさせたくない」

「私は、殿の意志があれば、妥協します。当たり前でしょう。許された条件の中で、最善の道を探るのが、軍師の仕事だと思っています」

「そうだ、張飛。殿と二人でやりたいことをやるというのは、勝手すぎはしないか。荊州進攻と決まれば、それもいいだろう。しかし、私も行くぞ。なぜ、私が殿とともに闘ってはならぬのだ？」

「わかってくれ、趙雲。いや、わかっているはずだろう。俺と大兄貴だから、やらねばならぬことがある」

「わからぬな。わかろうという気もない。私はいつも、殿と一緒だ。そして、おまえとも一緒だ。死んだ関羽殿とも」

「もうよい、みんな」

劉備が言った。

「私は、臣下に恵まれた。恵まれすぎているほどだ。幸福な男だ。しみじみ、そう思う」

劉備が、眼を閉じた。

しばらく、沈黙の時が流れた。張飛は、ただそれに耐えていた。自分だけでなく、孔明や趙雲の鼓動まで聞えるような気がした。

「私と張飛で、孫権を討つ。武昌まで攻めて討てなかったら、孔明に二年の時を与えよう。趙雲は不満かもしれぬ。四人目の兄弟なのだからな。しかし、蜀に人は必要なのだ。残れ、と私は命ずる」

なにか言おうとした趙雲を、劉備は手で制した。

「これが、私の決定である。よいな、趙雲。孔明を、ひとりきりにもできぬ。だから趙雲、おまえに残って貰う。蜀には、私の息子もいる。おまえが、命を救ってくれた息子だ。張飛の娘とめあわせる。それで、私と張飛は、心を残すことなく、荊州へむかえるのだ」

娘のことを言われて、張飛は一瞬絶句した。劉備が帝になれば、劉備の息子の劉禅は皇太子ということだ。自分の娘がその妻だ、と劉備に言われたような気がした。

「待ってくれ、大兄貴」

「待てぬ。すべてが、私の決定である」

言い放ち、一座を見回して、劉備は腰をあげた。

三人が、部屋に残されるというかたちになった。劉備は、自室で剣の手入れをするのだろう、と張飛は思った。こういう時、劉備はいつも手入れをしながら剣に自分を映す。

「私が益州に残るというのは、やはり納得できぬ、張飛。たとえ殿の命令でもだ。荊州攻めは反対だが、決定したら私はなにも言わん。そして、殿とともに闘いたい」

「おまえのその気持は、大兄貴も俺も、痛いほどわかっている。しかし、おまえは益州に残るのだ」

「勝手を言うな、張飛。おまえが成都で兵を鍛えたように、私も江州で精兵を鍛えあげてきた。おまえの兵に、負けるとは思わん」

「やめられよ、お二人とも」

孔明が言った。

「張飛殿、私は以前に一度申しあげたことがあります。殿と張飛殿が荊州を奪られることと、私の戦略をどう重ね合わせるか」

憶えていた。荊州を奪り、そのまま北への進攻の構えで、魏を牽制する。そして、漢中の蜀軍が雍州に進出する。つまり、魏と呉を同時に相手にするというものだった。

手短に、張飛は趙雲にそれについて説明した。

「不可能だ」

趙雲は、ぽつりとそう言った。

「誰もが、そう思います、趙雲殿。つまり予想もされていなければ、準備もされていません。そこを、衝きます。賭けであることは、間違いありません。しかし、緻密に練りあげた戦略というものは、細かいところがひとつ崩れると、すべてが崩れてしまうということを、私は関羽殿の死で痛いほど知りました。時として、戦略は鉈のようなものがいい。鉈で薪を断ち割るような戦略が、効を奏することもあると思います」

趙雲は、驚いたような表情で、孔明を見つめている。

「あの戦略を、捨てたわけではなかったのか、孔明殿は」

「あの時、殿と張飛殿に話したのは、江陵を回復してのち、北進という内容でした。今回は、それが武昌にまでのびております。孫権の本拠が、武昌へ進出してきたのですから、仕方がないことでしょう」

「しかし、魏と呉を同時に相手にするとは。張飛、おまえはこの戦略をどう思っているのだ？」

「わからん。正直に言って、俺の考えられることを、はるかに超えている」

「殿と張飛殿が、荊州に進攻される。これはすなわち、魏と呉を同時に相手にすることなのです。呉はいまだ、形式上は魏に臣下の礼を取っています。蜀軍に圧倒されれば、必ず魏に助けを求めます」

「しかし、魏が動くだろうか、孔明殿。私は、共倒れを待つような気がするのだが」

「それが、第一の賭けです。曹丕は帝になったばかりです。臣下の礼を取っている者が求めてきた救援を、無視しないという方に私は賭けます。荊州北部に、大軍を集結させる程度のことはやると思います。蜀軍は北進の構えでいるのですから」

「第二の賭けは？」

「それは趙雲殿、あなたにかかっています」

「私にだと」

「益州に残っていただくのは、雍州に進出するためです。蜀軍が江陵を落とした時点で、漢中に入られる。それまでは、白帝の近くで後詰がいるという圧力を、呉にかけておられればよろしいでしょう。上庸、房陵の孟達も、釘付けにできます。蜀軍が江陵を回復したあたりで、魏軍は大軍を荊州北部に出します。雍州からも、当然兵が出るでしょう。そこを速やかに趙雲殿に衝いていただく。長安が奪れるか。これが第二の賭け。涼州が蜀に靡いてくるか、これが第三の賭けです」

「大兄貴と俺が、荊州に突っこむのは、賭けに入っていないのだな、孔明殿？」

「勝てます、張飛殿が先鋒ならば」

張飛も趙雲も、黙りこんだ。

館の奥は、静かである。劉備の即位に備えて、みんな表へ駆り出され、人が少ないのだ。儀式の準備は、やはり大変な手間らしい。

「この一年、私は雍、涼二州から眼を離しませんでした。雍州は、なんとか治まっています。しかし涼州は、一応従っているだけというかたちです。二州とも、中原に大きな反撥を続けてきたのが、これまでの歴史です」

「馬超は、孔明殿？」

張飛は、白水関で会った馬超を思い出した。戦ではない、なにか別のものを求めている。

「雍、涼二州が従うのは、かつての錦馬超でなく、蜀でなければなりません。だから、趙雲殿なのです」

孔明は、馬超の気持を知っているのかもしれない、と張飛は思った。知らないまでも、なにか感じていることは確かだ。

それ以上、三人とも言葉が出てこなかった。黙って、自分の手もとを見つめていただけである。そろそろ、夕刻だった。

「行きましょう」

孔明が、腰をあげた。

「私はさきほど、二年の時が欲しいと申しました。しかし、本心では、ふた月だと思っています。荊州を奪回してふた月で、雍州を奪れなければ失敗です」

それだけ言い、孔明が先に部屋を出ていった。部屋を出たところから、三十名の護衛が付く。馬良も同じだ。

「いまは、暗殺がこわいな、張飛。孔明殿がやられれば、蜀は頭脳を失う。まあ、俺たちを暗殺しようなどとは、誰も思わないだろうが」

張飛も趙雲も、従者は二人だけだった。

「しかし、孔明という男の頭の中は、どうなっているのだ。あんなことを、よく考えつくものだ。驚くというより、呆れてしまうな」

「俺もだ、趙雲。あれで、民政の方も馬良と二人でやっているのだぞ」

「先年の北進策も、成功するはずだった。そして、あっという間に魏と肩を並べるはずだった。成功すると見たからこそ、孫権は同盟を破ったのだろう」

「あれで、細々としたことまで気を配る。よく躰がもつものだと思う。俺たちは、暴れるしか能がないが」

「私は、荊州進攻に同行することを、諦めたわけではないぞ、張飛。それだけは、忘れるな」

館を出ると、趙雲は張飛と同じ方向へ歩きはじめた。

「どこへ行くのだ？」

「おまえの家だ、張飛」

「それは構わんが、奥方をひとりにしておいていいのか?」

「ひとりではない。朱鳳は先に行っている。董香殿が、夕餉に招いてくださったのだ」

「なんだ、そうか」

「昔から思っていたが」

張飛の方に眼をむけ、趙雲がほほえんだ。

「おまえには過ぎた奥方だ。朱鳳も、あんな女房になってくれればいいと思っている」

「俺に自慢できるのは、女房と馬だけだ」

「女房と馬か。張飛らしいな」

趙雲が、声をあげて笑った。

3

劉備が、蜀漢帝国の帝に即位した。

新王朝が作られたわけではない。あくまでも、漢王室の継承で、国も蜀漢と名乗った。漢は不滅であることを、身をもって示そうというのだろう。いずれ蜀漢は漢の一部になり、漢の帝が立てられるという。それは、魏を滅ぼしてのちのことだ、という宣言もなされた。

前帝である山陽公劉協については、充分な監視が行き届いている。劉備が、山陽公を奪うのは、まず不可能だろう。

曹丕は、事態がどう動くのか、慎重に見守っていた。

魏の内部は、平穏である。叛乱を起こした者はすべて処断し、叛乱の芽らしきものも、根気よく摘んでいる。

「蜀の丞相は諸葛亮だそうだ、陳羣。あの男、軍略だけでなく、民政の手腕も相当なもののようだ。蜀の民政は、乱れぬ」

「馬良がよく補佐しているようです」

老臣があまりいない、というのが曹丕にはいくらか羨しかった。魏では、曹操時代の老臣を、三公に当てるしかない。まだそれぞれに、強い影響力を持っているのだ。

陳羣は、侍中（秘書官）である。太子時代からそうだったが、あるところからは踏み入らせなかった。もともと曹操の侍中もしていたのだ。

曹操が死んだので、陳羣などは好きに使えるようになった。大物というほどではないのだ。尚書令（官房長官）にでもすれば、力を発揮するだろう。

側近というものを置かない政事をしよう、と曹丕は思っていた。帝と側近だけですべてを決裁するには、魏は大きすぎる。

あるところまでは、会議による決裁が行われ、それについて監視する機関も設ければいいのだ。帝の親裁は、重要な案件だけでよく、それは尚書令があげてくれればいい。

「諸葛亮と馬良か」

「蜀には、名だたる将軍が揃っていますが、文官にも人を得はじめました」

「呉は弱いのかな。しかし、孫権自身が優秀な文官ではある。軍で、陸遜の実力がどの程度かということが気になるな」

「西部軍に、韓当という老将が赴任したようです。いささか心もとないのでは」

「ところで、人材は集まりつつあるようだな」

曹丕は話題を変えた。侍中と、軍事のことについては話さない。何人もの侍中に、それぞれ分担して職務を与え、お互いの職分は侵食させないようにしている。

陳羣の職務は、人材の登用と、法の整備である。人材の登用も、法を整備して、庶民に門戸を開いたのだ。

「いくつもの難関を越えた者は、陛下にお目通りすることになります。それほど遠い先ではありません」

洛陽の宮殿は、ほぼ完成していた。

かつて許昌にあった朝廷のようなものではなく、丞相府という趣きがある。形式的な儀式などは排してしまったのだ。

「賈太尉が参られました」

若い侍中が告げに来た。

陳羣と新しい刑罰についてしばらく話し、それから賈詡を呼んだ。陳羣は退出していく。

賈詡が入ってきて、拝礼した。大将軍であった夏侯惇が死んだいま、軍の頂点にいるのは、太尉である賈詡である。

曹操は、賈詡を軍師として使っていた。

その前は、張繡の参謀だった。張繡は一度曹操に偽りの降伏をし、罠にかけて殺す寸前まで追いつめた。実際、曹丕の兄である曹昂は、そこで命を落としたのだ。

そういう張繡と賈詡を、なぜ曹操が召し抱えたのか、少年であった曹丕には不思議でならなかった。兄を殺した、と張繍を難詰したこともある。それが脅しになって、張繍は自殺したと蔭で言われていたことを、曹丕は知っていた。皮肉を言っただけのつもりだった。

死ぬ人間は、そんなことでもたやすく死んでいく。賈詡にはもっと強い皮肉を何度も浴びせているが、気にした素ぶりもなかった。参謀であった賈詡の方が、それだけ太いものを持っていた。

賈詡に腰を降ろすように勧め、むき合って曹丕も座った。正式な時は、群臣の居並ぶ中で、大広間に通す。しかし、こうやって誰も交えずに会うこともある。重要な話は、宮殿の奥のこの居室で交わされることが多かった。

「軍でなにかあったか、賈詡？」

会いたいと言ってきたのは、賈詡の方だ。

「劉備が、蜀で帝位に即きました。そして、孫権と闘おうとしております」

「知っているが、大して気にしていない。そういうこともあるだろうと、予測はしていたのだ」

「問題は、帝のことではございません、陛下。劉備が孫権を攻めるということです。この機に出兵されて、漢中をお奪りください」

「いまは、あまり兵を出したくはないな。ようやく、国土が落ち着いてきたところだ」

「曹操様は、劉備を殺すべしという部下の進言を、ことごとく退けられました。そして、いまのような力を持たせてしまわれました」

劉備が荊州に攻めこんだ隙に漢中を奪れば、呉蜀の同盟が復活しかねない。お互いに、潰れては困る関係でもあるのだ。どちらかが潰れれば、単独で魏とむかい合わなければならないことになる。

父が重用していた策謀家だが、耄碌しはじめているのかもしれない、と曹丕は思った。それならそれでよかった。賈詡はただ名誉職に就いている、と思えばいい。

「私は、蜀を潰せと申しあげているのではありません、陛下。劉備を殺すべきだと申しあげているのです。曹操様に何度も助けられたにもかかわらず、肝心なところで劉備は邪魔をしてきました。あの男がいたので、曹操様の全国制覇はならなかった、と申しあげてもよろしいでしょう」

「それと漢中攻めと、どういう関係にあるのだ、賈詡？」

「荊州に攻めこんだ劉備を、孤立させるのです。漢中を攻めれば、益州に残った蜀軍は、そちらに当たらざるを得なくなり、援軍の役目を果せません」

「孫権のために闘え、と言っているようにも聞える」

「孫権のためであろうと、構いません。劉備を殺す。すべては、その一点を考えて動くべきです。孫権など、あとでどうにでもなります」

「父を苦しめた存在だから、劉備を殺せというのか？」

「そんなことでもありません。劉備を殺すことによって、漢の亡霊を殺すのです」

曹丕は、賈詡の顔を見つめた。なにを言おうとしているのか、はじめてきちんと聞き取ろうと思った。七十を過ぎた賈詡の表情は、彫像のように動かない。

「劉備がなぜ生き残ってきたのか、私はずっと考え続けてきました。立ち回りのうまさは、勿論あります。変り身が早いのですな。しかし、ただひとつだけ、劉備は変えていないものがあります。漢王朝の血という旗印です。今回の即位も、蜀漢と名乗り、いずれ漢王朝を復興すると宣言しております」

賈詡の言おうとしていることが、少しずつ曹丕にも見えてきた。

「腐りきった血ではあっても、四百年は続いたものでした。その血に対する忠誠心が、劉備の武器だったと言えます。それは、いまも同じです。そしてこわいのは、民の心の中に、漢王朝というものが、無意識に残っているということです。それがかたちになって劉備に吸い寄せられたら、この国はどうなるかわかりません。曹操様は、まだ帝を擁してておられました。陛下は帝に即かれ、それが本物の帝位ではないと、劉備は自ら帝位に即くことで主張しております。不敬なことを申し述べております。罰はお受けする覚悟で参りました」

「いや、いままで、あまり考えなかったことを、指摘されたような気がする。父上は、帝と朝廷の扱いに苦慮された。私は、それをそばで見ていた。だから、なくしてしまえばいい、と思ったのだ」

「四百年の血は、帝ひとりを排したぐらいでは消えません。しかし、徐々に薄れてはいきます。血を、声高に言い立てる者がいなければです」

「劉備を放っておいてはならぬということが、わかってきた」

「漢中出兵は、ひとつのたとえにすぎません。なんであろうと、劉備は殺さなければならないのです。漢王朝の血の旗印を降ろすことは、まずあり得ませんから」

「漢の亡霊か。この国をさまよう、無数の亡霊か」

「糾合ということを、考えている者がいるかもしれません。漢王室の血に対する思いを、糾合する。劉備の存在があれば、それは考えられます。三十数年、その旗を掲げ続けてきたのですから。曹王朝に対する反感も、すべてそこに糾合する。それを意図的にやるとしたら、諸葛亮でしょう」

賈詡が、話は終りだというように腰をあげた。もうしばらく話したいという思いを、曹丕は抑えた。あとは、自分で考えるべきことである。

「老人が、つまらぬことを申しあげたのかもしれません。頭の隅にでもお留めおきくだされば、幸甚です」

賈詡が、退出して行く。父が、なぜ賈詡をそばに置いておいたか、曹丕はわかるような気がした。自分にとって、賈詡のような男。司馬懿の顔が思い浮かんだ。そろそろ、呼び戻すべきかもしれない。主従の関係であり、決してそれ以上ではないということは、もう身に沁みているだろう。臣なるがゆえに、主のために手を汚す任務も果したのだ。

しかし司馬懿は、いま兗州に入っている。曹植に備えるためだ、という報告は受けていた。二、三カ月は呼び戻せまい、と曹丕は思った。

鈴を振った。

これを一日の最後の仕事にしようと思った。五錮の者の報告である。

気配はなかったが、五錮の者はもう膝をついて部屋の隅に控えていた。

「聞こう」

曹植のことから、報告がはじまった。酒の上での不行跡はいつものことだったが、それはなにかを隠すためのものではないか、と以前から思っていた。

「なるほど」

かたちになって、見えてきた。曹植が、退役して戻ってきている青州兵と会った、というのだ。曹丕の軍には入りたくない、と意思表示をした者たちだ。名誉の除隊を与えた。その青州兵が、曹植の館に招かれたようだった。

司馬懿は、そのあたりの動きを、すでに摑んでいたのかもしれない。

国替えだな、と曹丕は考えた。死罪を命じ、母が泣きついてきて、国替えで妥協する。まず、そんなところに落ち着く。食邑（扶持）を下げれば、いまよりさらに惨めな生活には追いこめる。

報告が続いた。国内のもので、目新しいことはなかった。

「蜀に潜入したという、呉の間者は？」

「間者ではございません。呉には、潜魚と称する者がとりまとめている間者の集団がありますが、その者たちではないのです。どうも、致死軍かと思われます」

致死軍の話は、曹丕も知っていた。もともとは山岳戦をやるが、奇襲などにも使われている、山越族の部隊である。合肥で、音もなく奇襲を受け、かなりの被害を受けてから、五錮の者が調査している。およそ二千から二千五百。

「致死軍全部ではなく、およそ百名ほどが潜入している気配です。そのほとんどは、成都におります」

「暗殺が目的か？」

「しかし、劉備には近づけるはずもありません。単独行動はいたしませんので」

「諸葛亮は？」

「三十名の警固が常時付いております。馬良も同じです。蜀でも、なにか気づいてはいるのでしょう。ただ、目的まではやはり読みきれていないようです」

警固の者なら、腕は立つ。三十名いれば、暗殺などではなく、ちょっとした戦ということになる。成都城内で、それは不可能だろう。

「蜀では、致死軍を特に狩り出すということはやっておらぬのだな？」

「難しいことでございましょう。庶民の身なりをして紛れこんでおります。成都には、このところ益州の商人が集まっている、という観がありますし」

「解せぬな」

「調べてはおります。しかし、なにかが起きてみるまで、わからないかもしれません」

「攪乱は？」

「成都城内は、執金吾の巡回が厳しく、出動も迅速です。郊外には、七万の軍がいます。四百や五百いても、攪乱できる状態ではありません」

「わかった。もうよい」

五錮の者が、音もなく姿を消した。

劉備が暗殺されればいい、と考えている自分に曹丕は気づいた。やはり、賈詡の話が、気持のどこかにひっかかったようだ。

奥へ行く時刻になっていた。

甄氏がいる。考え得るかぎりの凌辱を、与え続けている。それでも、押されているのは自分の方だ、と曹丕は思いはじめていた。

凌辱を与え続けて、心を毀す。なんのためにそれをやっているのか、曹丕は時々わからなくなった。

愛しているのだ。はっきり、そう思った。これほど愛していながら、返ってくるのは、服従と憎悪だけだ。だから、自分は狂っていく。夜毎、狂気は深まっていくばかりではないか。

皇后を決めてくれと、廷臣から何度も申し入れを受けていた。決めなければならない、と曹丕も思っていた。そして、甄氏を皇后にしたいのだ。自分を愛してくれるならばだ。

冷え冷えとした気持で、曹丕は腰をあげた。

4

駈けた。

なにが起きたか、わからなかった。招揺の腹を蹴り続ける。牧場。綿竹にある広大な牧場から、成都郊外の牧場へ、二頭目の招揺の息子が移されていた。それは、張飛は知っている。しかしなぜ、襲われるのだ。それも、董香と張苞が。

知らせてきたのは、応累の手の者だった。傷を負っていた。血で驚くわけがない。董香という名を聞いた瞬間、わけがわからなくなったのだ。襲われている。誰にだ。なぜ。

「飛べ、招揺」

叫んでいた。三十里（約十二キロ）先の丘。そこまで、飛べ。招揺が、荒い息を吐いた。飛んでいた。飛ぶように、駈けていた。ただごとではないと、招揺もはっきりと感じている。風。不安で、押し潰されそうになる。

丘。見えてきた。三十人ほどか。武器の光が不吉だった。一度、二度と、張飛は叫び声をあげた。

応累。立っていた。でっぷり肥った躰が、赤い。なぜ、赤いのだ。見馴れた色。血。叫んだ。三十名ほどが、一斉にこちらに武器をむけた。招揺の鞍の上に立ち、宙を跳び、張飛は応累のそばに降り立った。

「済まぬ、張飛。守りきれなかったかもしれぬ」

それだけ言い、応累が膝を折った。周囲は、屍体だらけだ。丘の中腹の木。董香。幹に寄りかかり、剣を握っている。声も出なかった。いきなり駈け出そうとした張飛を、三十人ほどが遮った。最初の五人を、一撃で薙ぎ倒した。気づくと、立っている者は二人だけになっていた。

「さすがに、張飛将軍。揚州致死軍の、路恂と申す」

董香、と張飛は思った。そこをどけ。しかし、いくらか腕が立つ。

「奥方を、拉致するだけのつもりだった。しかし、奥方も強い。潰えたな、私の任務は」

路恂という男の躰が、宙に舞いあがった。斬撃。かわしざまに、蛇矛を振った。路恂の躰が二つになった。もうひとり。首を飛ばしながら、張飛は丘を駈けあがっていた。

声が出なかった。董香。矢。三本。深い。いや、短い矢だ。深くはない。絶対に、深くはない。

「香々」

声が出た。抱き起こす。董香が眼を開き、かすかに笑った。生きている。

「あなた」

董香の声。

「とてもいい子でしたよ、招揺の子は。並んで、野原を駈けましょうね」

「駈ける。どこまでもだ」

「あなたは、将軍です」

言った董香の口から、血が溢れ出してきた。心の臓。なにかで摑みあげられた。

掌で、董香の口を拭う。

「蜀軍第一の将軍で、陛下の弟でもあります」

「喋るな。喋らないでくれ」

「取り乱してはいけませんわ。涙を見せても。あなたが、甘えていいのは、私だけなのですから」

「泣かぬ。だから喋るな。いま手当てを」

「あなた」

一度閉じた董香の眼が、また開いた。涙が溢れ、頬に流れた。

「許してくださいね。いつまでも、甘えさせてあげることができなくて」

「なにを言う。そんなことは、言うな」

「私がしてあげられる、ただひとつのことだったのに」

不意に、董香の躰が、腕の中で違うものになっていくのを、張飛は感じた。嘘だ。

そんなはずはない。

董香の眼が、ゆっくりと閉じた。涙だけが、まだ流れ続けている。

なにが董香を襲ったのか、張飛にははっきりとわかった。戦場では、ありふれたもの。しかし、董香を襲ってはならないもの。

「張飛様、張飛様」

叫び声。馬蹄の響き。

「御無事でしたか」

陳礼だった。数十騎は、もっと遅れている。

張飛は、董香の躰を抱いて、立ちあがった。

「妻が、死んだ。成都の館に戻る」

招揺を、呼んだ。董香を抱いたまま乗った。

静かに、招揺が進みはじめる。董香の躰は、まだ温かかった。

いつの間にか、館に戻ってきていた。

寝台に、董香を横たえた。董香の顔をしていたが、それはもう董香ではなかった。

口のまわりの血を、濡れた布で丁寧に拭った。それでも、やはり董香ではなかった。


報告を受けた時、孔明は執務中だった。

馬良の、人口調査が完了し、孔明のもとにあがってきていた。

「どういうことだ？」

張飛の妻の董香が死んだ。はじめは、なにが起きたのかもわからなかった。

陳礼が飛びこんできた。応累の手の者も、報告に来た。少しずつ、事態が呑みこめてきた。董香は、殺されたのだ。

次々に報告を受けながら、孔明は頭の中を整理した。

董香は、たまたま戻ってきていた息子の張苞と従者二人を連れ、成都郊外の牧場へむかった。張飛の愛馬の招揺の子が、綿竹の牧場から移されてきていたのだ。それを見るためだったのだろう。

それとは別に、応累は自ら指揮して、五、六十人の集団の動きを追っていた。以前から百名ほどが潜入している気配があったが、分散して行動していて、それほどの人数が集まったのははじめてだったのだ。だから応累は、自ら指揮をし、ひそかに足跡をつけた。

応累が慌てたのは、その五、六十人が、董香の一行四人を襲ったからだ。牧場からの帰り道だった。

応累が指揮していた手の者は、十八人だった。

三十里ほど離れたところに、張飛軍が野営していた。二人を、そこへ走らせ、残りで五、六十人を遮った。短い剣と、小型の弓を遣う者たちだった。

董香の武術は、並の兵士どころではない。張苞は、張飛の息子だ。死闘になった。応累の手の者が、ひとりふたりと倒されていった。張苞はよく闘ったが、斬撃を受けながら、同時にほかから矢を射かけられるというやり方で、ついに倒されたという。最後まで、母を守ろうとしていたらしい。董香も、矢を受けていた。結果としては、それが致命傷だったようだ。

応累の手の者も倒れ、やがて応累ひとりになった。それまでに、半数は倒したようだ。応累は、なにがなんでも董香を守ろうとしたようだ。剣を遣わせると、相当な腕であることは、孔明も知っていた。しかし、敵も手練れ揃いだったようだ。剣を受け、数本の矢を受けながら、それでも応累は立ち続けていた。そこに、張飛が駈けつけてきたのだ。

三十名ほどの敵を、張飛はほんのわずかな間で打ち倒したようだ。

陳礼がようやく駈けつけた時、張飛は董香の躰を抱いていたという。招揺が異様な駈け方をして、陳礼は追いつけなかったのだ。

張飛は、落ち着いているように見えたという。妻が死んだので、成都に連れて帰る、と言い、董香を抱いたまま招揺に乗り、成都の館まで戻ってきた。

応累の手の者で、三人にはまだ息があった。倒されていた敵も、四人は生きていた。訊問が可能な者もいたようだ。

これが、起きたことのすべてだった。

孔明は、張飛の心中を思った。あの夫婦の仲がどれほどのものだったのか、孔明はよく知っている。かすかな羨望を感じるほど、仲はよかった。

張飛は冷静で、董香の血の汚れをきれいに拭ってやり、張苞や応累の屍骸をどうするか指示し、泣き叫んでいる従者や下女を鎮め、董香の寝台のそばに腰を降ろし、じっと董香を見つめているという。いつもと、表情は変っていないらしい。

どういうことなのかと、孔明は考えはじめた。たまたま、間の悪い偶然がいくつか重なったのか。それとも、はじめから計画されていたものだったのか。

董香を殺すことに、軍事的な意味はない。せいぜい、張飛に衝撃を与えるぐらいだろう。ならばなぜ、董香を襲ったのか。生き残った応累の手の者は、董香の一行が襲われたと、はっきり言っていた。応累も、だから慌てたのだ。普通なら、絶対に表面に出る男ではなかった。部下が何人殺されたところで、黙って見ていただろう。

なぜ、董香を襲わなければならないのか。手練れが、五、六十人も集まっていたのだ。これはという目的があったことは、間違いない。

いきなり、張飛が部屋に入ってきた。

思わず、孔明は立ちあがっていた。いくらか沈んだような感じはあるが、張飛の表情はいつもと変りなかった。

「丞相(じょうしょう)に報告しておこうと思って、来たのだ。陛下に報告する必要があるなら、丞相にやっていただきたい」

「張飛殿。ほんとうに董夫人は」

「殺された」

張飛は、ちょっと髭に手をやった。

「襲ったのは、揚州致死軍。指揮者は路恂と名乗っていた。胴から両断してある屍体が、その男だ。宙に舞いあがる、変った技を使っていた」

張飛は一度、肩で大きく息をした。

「董香を殺す気はなかったようだ。拉致しようとしたらしい。目的はわからん。あとは多分、孔明殿が報告を受けている通りだ」

「なんと申しあげていいか、わかりません、張飛殿」

「応累は、俺が行った時、まだ立っていた。守りきれなくて済まぬ。そう言って倒れた。立っていた最後のひとりが、応累だった。報告することは、これだけだ、孔明殿」

「張飛殿、私は」

「なにも言わないでくれ、孔明殿。董香は、蜀軍の将軍の妻として、立派に死んだ。そして、張苞も」

息子も失ったのだと、孔明は改めて思った。

部屋を出ていく張飛に声をかけようとしたが、孔明は言葉を見つけられなかった。

大きな背中だった。

孔明は、自分が使っている間者を呼んだ。これは応累の手の者とは違い、調査だけである。ほとんど武器も遣えないし、女も混じっている。

「揚州致死軍が、いまどこにいるか至急調べてくれ。誰の指揮下なのかも。それから、生き残っている者を手当てし、知っていることを訊き出せ」

致死軍については、孔明もある程度は摑んでいた。山岳戦を専門とする山越族の部隊で、すでに死んだ程普が組織し、周瑜が受け継いでいる。周瑜の死後は、甘寧の下に配され、合肥の戦線にいたはずだ。路恂というのは、致死軍の隊長の名である。

孫権が、致死軍をこちらに投入してくることは、充分に考えられた。夷陵に出るまでは、山岳地帯なのである。

しかしなぜ、成都近辺にまで送りこんできたのか。

挙動のおかしな者、身もとのはっきりしない者は成都城内から出さず、拘束しておくように執金吾に命じた。応累はそれをかなり摑んでいたはずだが、死んだ。頭領を失った応累の手の者は、組織を立て直すことからはじめなければならないだろう。

劉備は、宮殿となった館の奥の部屋にいた。帝に即いてから、あまり表には出ていかなくなった。成都郊外の兵の調練も、梓潼にいた黄権を呼び戻して任せている。黄権は、劉備の益州攻略の時、最後まで抵抗をしたひとりだったが、帰順してからは堅実な手腕を持った将軍として働いている。誠実な男だった。こういう男の方が、孟達のようにはじめから裏切ってくる者より、ずっと信用はできるのだ。孔明の評価も、高いものだった。

「諸葛丞相が、お見えでございます」

侍中（秘書官）が部屋の外からそう告げ、すぐに孔明が入ってきた。

劉備は、武昌を中心とした、荊州江夏郡の地図に見入っているところだった。江陵までは、庭のように知っている。ただ武昌に進攻するには、江夏郡をもっとよく知らなければならない。

「なにが、あった？」

孔明の表情を見ただけで、劉備は変事を察した。

予想外の変事だった。孔明の話を聞いているうちにこみあげてきた感情は、怒りなのか悲しみなのか、自分でもよくわからなかった。董香の姿を思い浮かべると、涙が溢れ出て止まらなくなった。

「関羽だけで足りず、董香までも殺したか、孫権は」

「陛下、お気持を鎮めてください。これは、董香殿を狙ったものではありません。無論、応累でも。張飛殿を狙ったものです」

「なんと、張飛をだと」

「すべてを見渡すと、そういう結論しか出てこないのです。しかし、張飛殿を狙ったところで、討てるわけがない。三万の軍を指揮していることが多いし、ひとりでいる時があったとしても、とても討てる相手ではないと思ったのでしょう。現に、三十人ほど残っていた致死軍は、瞬時にして張飛殿に打ち倒されたようです。董香殿を人質にする。それしか路恂も方法を見つけられなかったのでは、と思われます」

董香を人質に取り、張飛を呼び出して討つ。それなら、考えられる。董香のためなら、張飛はひとりでどこへでも行っただろう。

張飛をただ討とうとして、討てるわけがなかった。豪放に見えて、実は細心なのだ。眠っている時も、油断はしていない。

「張苞も死んだか。そして、応累までも」

「陛下。あとはすべて私にお任せください。私が、すべてやります。応累の方もです」

劉備は座りこみ、かすかに頷いた。

孔明が退出しても、長い時間、同じ姿勢でじっとしていた。

それから立ちあがり、荊州の地図を見つめた。人は死ぬ。関羽の時も、そう思いこもうとした。簡雍が死んだ時もだ。涿県を出た時から生きてともにいるのは、張飛だけになった。

応累が死ぬことなど、考えたこともなかった。昔から、そばにいた。金が欲しいとばかり言っていたが、結局金ではないもののために動いていた。出世も、望まなかった。漢王室再興という、劉備の夢にだけ賭けたのだ。

いつの間にか、陽が落ちた。従者が、劉備の部屋にも灯を入れた。

侍中を呼んだ。

「役人が着るような、平服をもて」

帝位に即いてから、劉備は着るものもそれらしいものになった。不審な表情をしている侍中を、劉備は睨みつけた。

従者が着物を持ってくると、劉備はすぐに着替えはじめた。

「陛下、なにをなさいます？」

「外出する。供は、おまえひとりでよい」

「それはなりませぬ。旗本二百騎に出動を命じます」

「余計なことはするな。おまえがあとで罰せられることもない。ただ黙って、付いてこい」

劉備は部屋を出、顔を隠して館の廊下を歩き、衛兵の前を通ってそのまま外へ出た。

夜である。外では顔を隠す必要はなかった。張飛の館まで、わずかの距離だった。篝がひとつ焚かれ、厩の前には兵がいた。

館に入った。部屋の奥で、孔明と馬良がなにか言葉を交わしていた。陳礼の姿が眼に入った。

「陛下」

馬良が大声を出し、陳礼が弾かれたように直立した。

「どういうことです、こんなことをされて。旗本は、どういたしましたか？」

「私ひとりだ。侍中だけ連れてきた」

「なんということを」

さらに言おうとした馬良を、孔明が手で制した。

「陳礼、陛下の御弔問である。張飛殿にそのむね伝えてこい」

それから孔明は、劉備に歩み寄ってきた。

「張飛殿は奥の寝室で、董香殿と二人でおられます。行ってあげていただけますか？」

劉備は頷いた。

入っていくと、張飛が立ちあがった。小さな灯が、董香の静かな顔を照らし出している。言葉よりも前に、涙が流れ落ちてきた。

「大兄貴、俺は泣かん。蜀軍の将軍が、涙など流すものではない、と董香が言ったからだ。だから、泣かぬ」

「この兄の前では、泣いてもよいのだぞ、張飛」

それでも、張飛は涙を流さなかった。

「俺のような男が、いい妻を持ちました。こんな男が」

「おまえたちは、羨しいほどいい夫婦だった。私は、無念だ」

「大兄貴は、荊州進攻のことだけ考えてください。俺も、董香を埋葬したら、軍務に戻ります」

張飛が、じっと劉備を見つめてきた。

荆州がある。そこで、すべての片を付けられる。劉備は、張飛がそう言っていると感じた。この弟は、昔からよく眼でものを言った。淋しさも悲しみも喜びも、すべて眼に出たものだった。

劉備は、しばらく張飛と並んで腰を降ろしていた。まだ流浪の軍だったころのことを、張飛がぽつりぽつりと喋った。あの時が、一番よかった。劉備はそう思った。惨めだったが、それを分かち合えた。三人で分かち合っていれば、それは惨めさでもなくなった。

いまは、なんなのだ。陛下と呼ばれ、宮殿で暮し、兵ひとりひとりに声をかけることすら忘れている。

寝室を出ると、孔明が歩み寄ってきた。

馬良が呼んだのか、外には旗本が待機しているようだ。

「私も、ともに戻ります。葬儀の手配をする者も決めましたし、張飛殿はおひとりでしっかりとしておられます」

「そうではない、孔明」

外に出て、用意されている馬にむかって歩きながら、劉備は言った。

「しっかりしているのは、張飛の外側だけだ。私には、よくわかる。忙しく動かすのだ。ゆっくりさせるな。手に余るほどの、軍務を与えろ」

「張飛殿が、内側から崩れてくると？」

「もう、崩れておる」

「そうですか。わかりました。十日後には、軍を閬中に移動させます。成都からよりはずっと白帝に近いので、先鋒の緊張が軍を包みこむでしょう。そして、張飛殿も」

「わかった」

馬に乗った。

二百騎の旗本が、武装して整列していた。

5

張昭は、江陵で孫権を待った。

武昌に移った孫権が、また江陵の視察を言い出してきたのだ。それ自体、悪いことではなかった。兵の士気は、いやがうえにもあがる。しかし、視察中に戦が起きると、厄介なことになる。劉備も張飛も、ただ孫権の首だけを狙っているのだ。張飛は、成都を発っていた。閬中にむかっているという。三万で、これがやはり先鋒だろう。騎馬は一万に達している。それがどれほど精強かも、よくわかっていた。

陸遜を呼び、状況の分析をした。韓当にも声をかけたが、辞退して出てこない。江陵に来てからの韓当は、ただの校尉（将校）のように動き回っているという。部隊の指揮は、さすがと思わせるものがあるようだ。若い将軍たちも、認めはじめていた。

「早く状況を説明して、殿には帰って貰おう。私も、同じ船で帰る」

「その方がよろしいでしょうな。私も、安心していられます」

「江陵を、死守できるか、陸遜？」

「できると言うだけなら、たやすいことです。戦は、やってみなければわかりません。私は、蜀軍に江陵を攻めさせるつもりはないのですが」

「止める自信があるか？」

「夷道で。激戦にはなるでしょうが、呉は勝てます」

「殿は、軍権をおまえに与えられているのだぞ」

負ければ、処断される。処断にもいろいろあるが、陸遜は首を差し出す覚悟をした。その覚悟があるかどうかで、見えるものも違ってきたような気がする。

「巫から夷陵まで、長い陣を敷くのか？」

「もう、敷きはじめています、それを、蜀軍がどう攻めるかも、私には見えるような気がしています」

戦のことは、張昭にはよくわからなかった。文官は、戦ができる状態を作っていれば、それでいいのだ。

ただ陸遜は、張昭がなにか諜略をかけている、とは思っているはずだ。その方面のことを、いっさい口にしない。

陸遜を買っていたのは、周瑜だった。魯粛も呂蒙も、次の世代は陸遜と決めていたところがある。三人とも、死ぬのが早すぎた。

「ところで張昭殿、路恂は返していただけないのですか？」

「あの男がいないと、やはり致死軍の動きは悪いのか？」

「動きそのものよりも、その場での判断力です。いま、山中で調練をさせていますが、判断を路恂に頼るというところがあります」

「路恂の存在はないものと考えて、致死軍を使ってくれぬか」

頷いただけで、それ以上のことを、陸遜は訊いてこようとはしなかった。張昭も、なにも言えない。

路恂は死んでいた。張飛の暗殺に失敗したのである。

呉軍が勝つ。もしくは優勢な局面になる。そのためにどういう謀略をなせばいいかということについて、張昭が話し合ったのは韓当だった。蜀軍の戦力を分析した結果、張飛の存在が鍵だということになった。潜魚がもたらした情報が、もとになっている。

戦は、陸遜に託すべきだ、というのが韓当の意見だった。だから、陸遜とは関係のないところで、暗殺を企てた。路恂は、百数十人で成都に入ったはずだ。

戻ってきたのは二十人ほどで、それは隔離してある。いまごろは、潜魚の手の者が処分しているはずだった。

致死軍を暗殺に使おうと思ったのは、山越族に対して取引の材料があったからだ。

山越族は、路輔という少年を、丹陽郡か新都郡の太守に望んでいた。致死軍がそれだけの働きをしている、というだけではない。路輔は周瑜の子だった。その相談は、すべて路恂から張昭に持ちこまれていた。

致死軍が、山岳戦だけでなく、奇襲部隊の役割を担うようになったのも、路輔を郡の太守にするためだった。周瑜には正室の子がいて、建業でしかるべき扱いを受けていた。本人さえ優れていれば、やがて呉の重臣になるという道は約束されている。

路輔の背後には、山越族がいた。異民族は服従させておくが、重用することはないというのが、孫権の方針だった。ただ、路輔が周瑜の子だということを知れば、扱いを考えるかもしれない。

路恂には、路輔やその母親の存在を、状況が整うまで明らかにするなと、強く申し渡してあった。致死軍が、呉のためにそれなりの働きをした時が、公表するいい機会だろうと説得したのだ。そのための奇襲であり、張飛暗殺だった。張飛の暗殺が成功した時点で、路輔の存在が正式なものになる。

そういうことのすべてを、張昭はひとりで握り潰すつもりでいた。いきなり周瑜の息子が現われて、家中が混乱するというだけではない。路輔を認めることによって、呉の異民族対策は非常に難しいものになってくる。かなりの異民族を、呉は領内に抱えていた。

手を汚す。それは、老人がやればいいことだった。悔悟、うしろめたさ、自己嫌悪というものを抱いて生きなければならない時間が、老人にはそれほど長く残っていないのだ。

「殿は、視察には来られるが、軍権はおまえに預けたままだ。だから、好きに戦をやれ」

「はじめから、そのつもりです」

「いまの兵力を増やすことは、難しい」

「充分でしょう。蜀軍は七万。増えても十万を超えることはないと思います」

精兵だということは、わかっていた。いまさら陸遜になにか言ったところで、はじまらない。ただ戦は任せたが、謀略は任せてはいない。

「殿は本拠を武昌に移されましたが、これは本気で北へむかうということなのですか、張昭殿？」

「いまは、蜀軍を相手にするのがすべてであろう。魏には、西の蜀に備えるために本拠を移したと伝えてある。貢物を運び、使者を絶やさず、なんとかこの難局を乗り切ろうとしているのだ」

「対蜀戦が終ったら？」

「まず殿が考えられるのは、国土の安定であろう。おまえはずっと軍にいたから、戦がすべてと思っているであろうが、文官の私から見れば、戦場の勝敗を左右する闘いが別にあると思える」

「おっしゃる通りです。魏と正面から闘うには、それなりの国の力が必要です」

「淩統ら将軍たちは、どうしている？」

「巫から夷陵に至る、防衛線の構築に忙殺されています」

「そうか」

江陵へ来ると、張昭のやることはほとんどなにもなかった。民政の拠点も、武昌に移してある。江陵には、現場の役人がいるだけだった。

孫権の船が着いたのは、二日後だった。

夷陵まで視察に行くという。張昭も韓当も、同行を命じられた。

魏の曹丕が帝位に即き、続いて劉備が蜀漢を建ててまた帝位についた。しかし孫権は、呉王すら名乗ろうとしなかった。

いま呉で帝位に即いたところで、統治に大きな意味はない、と考えているのだ。家中では、孫権も帝位に即くべきだという意見もあったが、張昭が止めるまでもなく、孫権は無視していた。

帝位に即かず、呉王にすらならないことで、魏への臣従の礼が、かたちだけのものではなくなる。同時に合肥は呉の領土であるという主張は曲げず、長年にわたって戦線を維持していた。したたかであり、徹底的に名より実を求めるというところが、孫権にはある。

孫権の視察は念入りなもので、江陵に戻ったのは四日後だった。江陵に戻るとすぐに、役人に民政の報告をさせはじめた。水路がどれほど拓かれているかということについても、地図で示させながら、執拗に訊いた。

「私は、戦が嫌いだ、張昭」

二人きりになった時、孫権が言った。

「なにが起きるかわからぬ。赤壁の時の曹操は、勝てるはずだったのに負けた。漢中でもだ。関羽も、われらが同盟を破棄しなかったら、勝っていただろう」

「なにか気になることがございましたか、殿？」

「気になると言えば、すべてが気になる」

「民政というものは、結果の予測ができて、見えやすいものでございますからな。その予測が覆っても、次々に策を出せます」

「戦は、負ければ終りか」

「負け方にもよりますが」

「路恂が、死んだそうだな？」

孫権が、どこまで知っているのか、張昭は測るような気持になった。知っていることをすべて晒さない。これも孫権の性質のひとつだった。ほとんどのことは、潜魚から報告を受けているはずだ。しかし、路輔のことまで知っているとは思えなかった。

「張飛の暗殺に失敗いたしました」

「致死軍は、もう終りか？」

「今度の戦では、そこそこの働きはいたしましょう。しかし、今後のことを考えますと」

「維持しておけ。異民族でも、致死軍ほどのものを出せば、優遇される。それを山越以外の異民族にも教えた方がいい」

「しかし、路恂がおりません」

「水路が拓けてきている。水路と水路を結ぶための、陸路を拓かせればよい。南には、山中の道も必要になる」

「税で優遇している分を、取り戻すのですな？」

「そうしながら、少しずつ減らしていけばいい。また、致死軍に代るものが、どこかの異民族から出てくるであろう。それまでだ」

張飛の暗殺を企てたことについては、孫権はなにも言わなかった。

夜になって、張昭は営舎の韓当の部屋へ行った。

「酒でも飲むか、張昭殿？」

「いいな。頂戴しよう」

韓当が、従者に酒を命じた。

「張飛は、消した方がよさそうだ、韓当殿」

孫権は、肚の底ではそれを望んでいる。張昭には、それがわかった。

「路恂が死んだのが痛い。潜魚を使うわけにもいかぬし、適当な者の心当たりはないか、韓当殿？」

潜魚の手の者で、武術にたけた者もいないわけではない。しかし、路恂が負けたのだ。

「ひとつ、手は打った」

「ほう」

「張昭殿ばかりが、山越族と親しいわけではない。致死軍は、もともと程普が組織したもので、その時私も、多少は関わっていた」

「そうだったのか」

「これは、成功すれば儲けものという賭けである。私の肚のうちだけのことにしておく」

「お互いに、手が汚れるのう」

「汚してもいい、という覚悟ができる歳になったということだな」

張昭は先代の孫策の時からだが、韓当はその父の孫堅から三代にわたって、孫家に仕えている。孫堅が死に、孫策が袁術の庇護下に入った時、なにひとつ家臣らしいことができなかったということを、一度ぽつりと洩らしたことがあった。

その後、孫策は独力で立った。

「実にいろいろなものを見てきたな、韓当殿」

「もはや、なにを見ても驚かぬな。孫策様が暗殺された。あの時が、私は最も苦しかった。結局、孫策様に対しては、なにもできないまま終ってしまった」

「めぐり合わせであろう」

「ところで、張昭殿。路輔はなんとかした方がいい、と私は思うが」

「知っていたのか？」

「私と程普はな。程普は、もう死んだ」

「どうすればいいと思う？」

「誰かの養子にしてしまうのだ。たとえば、張昭殿の。それならば、山越の者たちも、それほど大きな不安は抱くまい」

確かに、無難な方法のひとつだった。路恂という叔父は死んでいる。山越族の中に、後ろ楯がいるというわけではなくなった。つまり、扱いに困るということだ。

「半分は、周瑜殿の血か」

「考えておいてくれ」

韓当もやはり、なにか取引をしたのかもしれない。

語るべきことではない。それは、お互いにわかっていた。

遠い明日

1

閬中から白水関は、それほど遠くない。

張飛軍三万は、閬中に駐屯し、調練を重ねた。

荊州進行がいつ開始されるのか、ということだけを張飛は気にしていた。白帝に集めてある兵糧が、まだ充分でないという。兵糧など、敵地で奪えばいい、と張飛は思っていた。下手をすると、今年の収穫を待ち、来年の春の進攻になりかねない。

閬中は巴西郡の城郭だが、一度叛乱を鎮めてからは、平和そのものだった。閬中だけでなく、益州の城郭はどこもそうだ。生温い湯に浸っているようなものだった。

張飛が本営とした館にまで、物売りがやってきたりする。はじめは苦々しく見ていただけだが、本営や営舎に物売りが出入りすることは禁じた。

夜になると、下女に酒を運ばせた。一斗（約二リットル）では足りず、もう一斗運ばせることもあった。いくら飲んでも、酔ったとは思えないのだ。そのくせ、酒は欲しくなる。

張飛が調練に立会うのは、二日に一度になった、陳礼で充分なのだ。これ以上兵を強くしたところで、相手は呉軍だった。水の上ならともかく、陸では敵ではなかった。

張飛が酒を飲むことについて、陳礼はなにも言わなかった。陳礼も、早く戦がしたいのだ。校尉（将校）を集めて、作戦の会議などをのべつやっているようだった。

夕刻、陳礼の報告を聞く。どういう調練をしたか。その調練で、何人が死んだか。以前はよく死人が出たが、いまはほとんど死ぬ者もいなかった。

「成都では、出動の命令をいつ出すつもりなのでしょうか。わが軍のかなりの兵は、かつて関羽様のもとにいた者です。閬中まで進んだのに、なぜここに滞陣を続けるのだと、不平を並べる者もいます」

「小兄貴は、部下に慕われていた。早く仇を討ちたいと思うのは当然だろう」

「私も、そう思います」

「陳礼、おまえは俺の副官だ。不平を並べたてる者を、抑えるのもおまえの仕事だ」

「抑えております。張飛様に、本心を申しあげているというだけです。それもいけませんか？」

「みんな苛立っている。これだけ調練を重ねれば、兵は実戦に出たくなって当然だ。しかし戦はな、もっと別なことで決まることもある」

進攻命令が出ないのは、国力が回復しないからだということは、張飛にはよくわかっていた。曹操軍と、漢中で総力戦をやった。そしてそのまま、雍州を攻めようとした。国力を回復させるのは、雍州に入ってからでいい、と孔明は決めたのだ。雍州、涼州の物産もある。

しかし雍州には出られず、その上荊州を失った。ほんとうなら、四、五年は立ちあがれないところだ。孔明や馬良の必死の努力があって、軍も整っている。

そんなことは、陳礼でもわかっているだろう。

「俺は、誰に不平を言えばいいのだ、陳礼？」

「それは」

「ならば、おまえは俺と一緒に耐えろ」

そんなやり取りが、何度もあった。

陳礼の報告が終ると夕餉で、その時から張飛は酒を飲みはじめる。酒の中に、なにかがあるわけではなかった。夜が長い。闇が重たい。だから酒を飲む。それだけのことだった。

二斗（約四リットル）、三斗と飲むと、次第に若いころに戻っていく。関羽と出会ったころ。劉備を知ったころ。

劉備の夢を、自分の夢だと思うことができた。その夢は、いつも清らかなものだった。

長く流浪を続け、戦場で生きている間に、夢のありようも変ってきたのか。ただ渾身の力で闘えばいい、というだけではなくなった。敵も、大きくなった。

董香という女に出会った。そして、妻にした。なぜ、董香がこの世にいたのか。酒を飲んでいる時は、いつもそう思った。いなければ、失うこともなかった。

酒はやがて、思考をとりとめのないものにした。董香などという女は、いなかった。いるわけがない。だから、董香が死んだというのも、ただの空想なのだ。俺は肉屋の倅で、ただの出来損いで、たまたま関羽や劉備と出会い、無頼を重ねてきただけだ。

あんな女が、いると思った。思っただけで、ほんとうはいなかった。だから、死んでもいない。いるはずのない女は、死ぬはずもないのだ。

ぼんやりした思いの中で、束の間、眠る。それが、張飛の眠りだった。ひと晩で、何度も同じことをくり返した。

朝になると、疲れきっている。下女が運んできた水で顔を洗い、外に出て蛇矛をひとしきり振り回して、ようやく元に戻る。

ここはどこなのだ。昼間でも、よくそう思うことがあった。閬中であることは、わかっている。しかし、別のところでもある。

招揺がいた。招影も連れてきていた。招揺には、語ることができる。俺は、誰なのだ。なぜ、ここにいるのだ。招揺は、首を振る。耳を伏せる。

白水関にいる馬超が、二十騎ほどを率いてやってきた。

「酒毒にやられているそうだな、張飛」

顔を見て、馬超がそう言った。

「おまえこそ、病だろう。ひどい病だ、という話ではないか」

成都では、馬超は病だということになっていた。簡雍が死んだ。それで馬超を蜀に繋ぎ止めておくものはなくなった、と張飛は思っていた。多分、そのための病なのだ。馬超は、静かに蜀から消えるつもりだ。

「野駈けをせぬか、馬超。俺の招揺の息子がいる。それを貸してやろう」

馬超の返事を待たず、張飛は従者に命じて二頭を曳いてこさせた。

「ほう、これは」

招影を見て、馬超が言った。

馬は、駈けさせなければならない。三日も厩に入れたままにしておくと、あまり駈けなくなるのだ。毎日駈けさせている馬は、少々のことでは潰れない。

馬超は、見事に招影を乗りこなした。招影も、馬超を乗せて喜々としているようだ。いままで、乗せたのは張飛と董香だけだった。

風のように駈けた。時が過ぎるのを、忘れるほどだった。三十里（約十二キロ）ほどを駈け通したところで、張飛は二頭を休ませた。招揺の脚は、まだ衰えていない。息子に、衰えていないところを見せたかったのか、いつもよりよく駈けたほどだった。

「いい馬だな、二頭とも」

馬超は、木の下に腰を降ろした。

「馬超、おまえの剣を、俺に見せぬか」

「立ち合おうということか？」

「勝負はつかなかった。あえて勝負をつけることもないが、おまえの剣は忘れられん。またいつ会えるかわからんしな」

「いいだろう。しかし、気を抜くな。隙があったら、斬るぞ」

「斬れるならば、斬れ」

張飛は、蛇矛を摑んで立った。馬超が腰をあげ、無造作に、剣の鞘を払った。

さすがに、張飛は一歩も踏みこめなかった。馬超も動かない。剣を横に構えたまままだ。気力が、ぶつかり合った。空気が、熱を帯びたようになった。

不意に、手応えがなくなった。

馬超が、剣を降ろしている。鞘に収め、馬超は軽く肩を上下させた。

「ようそう、張飛。人間ではないものと、むき合っているような気がする」

張飛は、全身の力を抜いた。なにをやっていたのだ、と思った。自分自身を、蛇矛で倒そうとしていたのではないのか。

「おまえの蛇矛も、俺の剣も、人にむけるようなものではないのかもしれんな」

「済まなかった」

張飛が言うと、馬超は頷き、また木の下の方へ歩いていった。

白い光がひらめいた。馬超の腰から剣が滑り出し、元に戻るのを、張飛の眼はかろうじて捉えていた。木が、ゆっくりと傾き、倒れたのはしばらくしてからだった。両手に余るほどの太さである。

「いいものを、見せて貰った」

「俺も、人に見せるために木を斬ったのは、はじめてだ」

倒れた木のそばに、並んで腰を降ろした。なにも喋らなかった。雲のたれこめた益州の空に、ただぼんやりと眼をやっていただけだ。招揺と招影が、並んで草を食んでいる。のどかな光景だった。

馬超が腰をあげた。

「俺は、明日までに葭萌へ行かなければならん」

「病はいいのか、馬超？」

「非常に重い。途中で休んだので、到着が遅れたと、葭萌の守将には言うことにしよう」

張飛は、もうしばらくひとりでいたかった。それを察しているのか、馬超はひとりで招影のそばへ行き、跨った。

「死ぬなよ、張飛。招影は、厩へ返しておく」

言うと、馬超は土煙をあげて駈け去った。

静かだった。斬り倒された木が、かすかに音をたてている。水が抜けていく音なのか。それとも、泣いているのか。

閬中へ戻ったのは、夕刻だった。

「馬超様が、来られていたのですね。閬中には隙がある、と私におっしゃいました」

「隙か」

「それは、私の隙だとも言われました。なんなのでしょうか？」

「自分で考えろ」

「兵の力は落ちていません。馬を失ってもいませんし、傷んだ武具や武器を持っている者もいません。成都郊外で駐屯していた時より、民と接する機会はずっと多いのですが、軍規も乱れていません」

「ならばいい。馬超はなにかを見たのだろうが、それが隙という言葉で言っていいものかどうかもわからん」

「気になるのです」

「報告をはじめろ、陳礼」

張飛は、半分怒鳴りつけるように言った。

直立した陳礼が、報告をはじめる。

隙と言えば、この城など隙だらけだ。しかし、ここで戦をやるわけではない。敵もいない。馬超はなぜ、つまらないことを陳礼に言ったのか。陳礼は、実によくやっている。この戦が終ったら、当然将軍に昇格する男だ。関羽が、趙雲が、そして自分が鍛えあげた。孔明についていたこともある。

馬超が斬り倒した、木の切り口を張飛はふと思い浮かべた。滑らかとか、鮮やかとかいうのではない。澄んでいた、としか言いようがなかった。それは悲しげで、なにもかも拒絶しているような気がした。

あれはなんだったのだ、と張飛は思った。あれがなにかわからぬほど、自分は混濁しているということなのか。

「よろしいでしょうか？」

陳礼の報告は、終ったようだった。張飛は、ほとんど聞いていなかった。ただ頷くと、一礼して陳礼は出ていった。

「酒だ」

張飛は、大声で言った。下女が、瓶と杯を持ってきた。酒をひと口飲み、張飛は瓶を持ちあげると、それを壁に叩きつけた。

下女が、立ち竦(すく)んでいる。びっくりした従者も二人、飛びこんできた。

「混じりものがある、この酒には。そんなものを、俺に飲ませたのか」

下女に近づいた。横っ面(つら)を張り倒そうとあげた手を、張飛(ちょうひ)は途中で止めた。女だ。ふるえている。まだ子供のような、若い女だ。

「今度、こういうものを持ってきてみろ。ひねり殺すぞ」

昔から、酒の味には敏感だった。ちょっと水を足した酒は、口に入れただけでわかった。余計なものが混じっていても、すぐにわかる。

「新しい酒を持ってこい」

言ったが、女は立ち竦んで動けなかった。失禁したのか、尿(にょう)の匂(にお)いが漂ってくる。

「連れていけ」

従者に言った。

水の瓶を蹴(け)りつける。割れて、流れた水が尿も薄めてしまったようだ。

しばらくして、違う女が酒の瓶を運んできた。今度は、ちゃんと酒の味がした。

「不調法をいたしました。いつもとは違う商人から買った酒でございました」

「なぜ、違う者から買った？」

「安かったからでございます」

「そいつを連れてこい。首を引き抜いてやる」

「今度、売りに現われましたら」

女は、割れた瓶の破片を拾い集めた。

「さっきの女は？」

「腰を抜かしております。将軍様のお声がこわくて」

「おまえは、こわくないのか？」

「それは。ちゃんとしたお酒とお料理をお持ちすれば、お怒りにはならないと思いますので」

色の浅黒い、小柄な女だった。眼は黒く、不思議な光を放っている。かすかに、眼尻(めじり)には皺(しわ)が刻まれていた。

「今度から、酒はおまえが運べ」

「かしこまりました」

張飛は、酒を飲みはじめた。何日か前から、面倒なので大杯にしている。一斗は、すぐに飲んでしまった。

「酒だ」

叫んだのとほとんど同時に、女が瓶を抱えてきた。空(から)になった瓶を持ち去っていく。歩くたびに、女の尻がかすかに左右に揺れた。

なにか、思い出しかかったような気分になった。はっきりはわからない。大杯を、続けざまに呷った。

ここはどこなのか。また考えた。閬中の館の一室であることはわかっていても、必ずそう考える。どこなのだ、ここは。何度もそう問いかけていると、遠くから声が聞えてくるような気がする。耳を傾ける。しかし、はっきりは聞えない。

どうでもよくなって、張飛はまた大杯を呷る。瓶が、空になっていた。

「酒だ」

女が、また瓶を抱えてきた。着物の上から、豊かな胸が見えた。

俺は菫香を思い出しているのだ、と張飛は思った。白い肌、はっとするほど大きな乳房、腿の内側まで生え揃った陰毛。大きな手が、やさしく張飛の頰を撫でる。

三斗（約六リットル）の酒を飲んだ時、眠れるかもしれない、と張飛は思った。酔ってはいない。足もしっかりしている。しかし、すべてが濁っているという気がする。そういう濁りの中でなら、まどろむことはできるのだ。

寝台に横たわった。

自分の鼾が聞えてきた。いぎたなく眠っているのだろうと思った。眠っていない部分もある。こんな眠りが、一番後味が悪いのだ。

不意に、刃物が襲ってきた。考えるより先に、躰が動いていた。蛇矛を摑んでいた。卓を二つに断ち割った。毀れたのは、それだけではない。女がひとり。恐怖にふるえていた、若い娘だ。右手に、短剣を握っていた。

従者が起き出してきた。

明りの中で見ると、女の躰は肩から腹のところまで裂けていた。従者たちが騒ぎはじめる。別の部屋を寝室に使っている陳礼も、抜いた剣を持って飛びこんできた。

「この女が、眠っている張飛様を？」

「もういい」

「よくはありません。なにゆえ、短剣を握っているのです」

もうひとりの女も、眠そうな眼で起き出してきた。さすがに女の屍体を見て声をあげ、座りこんだ。

屍体が片付けられ、血が洗われた。

「私が悪いのです」

陳礼の訊問に答えて、女が叫ぶように言っていた。

「混ぜものがあった酒を売ったのは、実はこの娘の父親なのです。二度と売りに来ないように、将軍様に首を刎ねられると脅かしました。それで思いつめたのです。私が、脅かしすぎたのが悪いのです」

女は、興奮してそう叫んでいた。困ったような表情で、陳礼が張飛を見た。

「もういい、陳礼。手を打ち払えば済むことだったのに、つい戦場の習慣が出てしまった。あの娘の父親の首を引っこ抜くと、確かに俺は言った。本気にしたのだろう」

「それでも、張飛様を刺そうとするとは」

陳礼は、女も従者も引きとらせた。

「張飛様、酒を少しお控えいただけませんか」

「俺に、指図するのか、陳礼？」

「お願いしているのです。昨夜は、三斗もお飲みになられたそうではありませんか」

「しかし、酔ってはいなかった」

「お酔いになっていなければ、気配だけで気がつかれたはずです」

「やめろ、陳礼。戦になったら、酒は飲まぬ。早く戦がはじまるように、祈っていろ」

陳礼が、肩を落とした。

夜明けまでまだ間があったが、もう眠れないだろう、と張飛は思った。

2

鄴へむかう行列の中にいた。

帝の行幸である。すべての格式を整えると、大変な人数になる。曹丕は、余分なものはすべて削ったが、それでも三千人の行列になった。父は、どんな時でも許褚の騎馬隊だけ連れて、馬で移動していた。輿車が、曹丕にももどかしかった。

ただ、鄴へは帝として入る。

洛陽から鄴まで、ほぼ六百五十里(約二百六十キロ)。馬ならば、急げば二日の行程である。それが、十日以上の日数をかけるのだ。

帰りは馬にしよう、と曹丕は思った。

鄴は、もはや魏の本拠ではない。本拠は、洛陽である。魏だけでなく、呉も蜀も含めた全土の中心が、やがて洛陽になる。

行幸中も、情勢はいろいろ動いていた。

いよいよ、蜀が呉を攻める時が迫っていると思えた。宛から樊城にかけて、魏軍もほぼ十万の兵力を展開させている。臣下の礼を取り、朝貢してくる孫権の、救援依頼に応えたものである。

幕僚の意見は、さまざまなものだった。蜀と呉を互いに闘わせ、両者が疲れきったところを併呑すればいいという意見が最も多かったが、孫権を討てという意見もあった。臣下の礼を取りながら、合肥の戦線ではたえずこちらの隙を狙っている。合肥に従軍したものには、その反撥がかなり大きかった。平然と蜀との同盟を破った前歴が、信用できないという者もいた。

総じて、孫権に対する反撥が大きく、蜀を討とうという意見はなかった。蜀の矛先が、ひたすら呉にむいているせいもあるのかもしれない。

曹丕は、情勢を静観するつもりでいた。

孫権は、ほんとうに危うくなったら、臣従してくるだろう。帝どころか、呉王を名乗ろうとさえしていないのだ。いずれは、魏に臣従するという道を、周到に残しているとも思えた。すべて、呉蜀の戦の帰趨による。

魏に本気で牙を剝いてくるのが、蜀であることは間違いない。漢王室の復興ということは、魏を倒して全土の統一を目指す以外にないからだ。

いずれにせよ、呉蜀の間の結着は、たやすくはつかない。蜀の進攻部隊がいかに精強であろうと、荊州、揚州は広い。

孫権を臣従させることによって、その広い荊州、揚州の統治は、たやすいものになってくる。孫権は、長江の水路を十二分に活用し、網目のような交通網を作りつつあった。さすがに、民政にかけての手腕は、相当なものである。領土の安定は、隔絶された地域をなくすというのが第一だった。

毎日、宿舎でさまざまな報告を受けた。

気持は、落ち着いていた。

曹植の問題は、洛陽を出る時に処理していた。酒の上での乱行が多すぎるということで、死罪を申しつけた。思った通り、母が泣きついてきた。同腹の兄弟であると群臣の前で言い、死罪を免じ、安郷侯に格下げということにした。食邑は半分以下に減る。母は安堵し、曹植はさらに惨めな状態の中で生きることになる。

退役した青州兵との接触を持ち出さなかったのは、死罪にせざるを得なくなるからである。誰もが、不穏な行為と見なすだろう。

もうひとつの問題の処理で、自分はずっと楽になる。処理ではなく、決心である。甄氏を、鄴へやった。洛陽にいて、夜毎悩みたくはなかったからである。

自分の姿を、振り返った。三人の宦官に裸体を押さえつけさせ、思いつくかぎりの凌辱のきわみを尽す。惨めすぎる姿だった。愛されたいのに愛されない腹癒せとしても、男としてあまりに見苦しすぎはしないか。

もともと甄氏は、袁紹の次男、袁熙の妻だった。戦に勝って、それを奪った。奪っただけで、よしとするべきだったのだ。戦利品と同じなのである。

自分が望んだのは、品物に心を求めることだった。そう、思い定めた。

甄氏の寝室につけていた三人の宦官の首は、すでに刎ねた。

あとは、自分の決心ひとつである。

ようやく、行列が鄴に入った。

戦闘の中で、疲れきった甄氏を捕えた袁紹の館は、とうの昔になくなっている。代りに父が築いた壮大な銅雀台がある。

まず近衛兵が守備につき、曹丕は銅雀台に入った。

鄴周辺の諸公が伺候してくる。最初に、その相手をしなければならない。

民政関係の報告は、随行してきた陳羣がまとめて受け、重要なものだけをあげてきた。曹植が臨淄を出立したという報告も、鄴に入っていた。

なんのために鄴への行幸か、陳羣はいっさい訊こうとしなかった。命じたことを、黙々とやっているだけである。

「司馬懿が、まだ兗州にいるはずだな、陳羣。許昌へ戻らず、鄴へ来るように伝えよ。私が鄴を出立するまでに来て、洛陽への帰還をともにせよと」

司馬懿が来るということで、陳羣は明らかにほっとしたようだった。

決心はついていた。

曹丕は奥へ入り、甄氏はひとりで待っていた。﨟たけた表情を見ても、曹丕の心は揺れなかった。洛陽で、頭を冷やしていた。自分を見つめてもいた。

眉から鼻梁にかけて憂いがあり、それがいつも曹丕をはっとさせる。顎の線も、唇も、そして瞳も、どれだけ凌辱を加えようと、汚れることはなかった。

「闘いだったのかな、私たちは」

甄氏を見つめて、曹丕は言った。

「私は、帝になった。そなたを、皇后にしたいと思った。しかしそれはできない。気持が通じ合っておらぬからだ。正室であるそなたを置いたまま、ほかの者を皇后にあげることはできぬ。しかし、離婚もしたくない」

「陛下が、なにをお考えか、私にはよくわかりますわ」

声。それも汚れていない。いや、自分がそう思いこんでいるだけなのだ。

「そなたとの闘争では、私は負けたのであろう。ひとりになって考え抜いて、そう思った。袁熙殿から、そなたを奪った。それでよしとすべきであった。別のものを求めはじめた時から、私は負けていたのだろう」

「私はいつも、陛下のものでしたわ」

「躰だけはだ」

「なにもかもが、陛下のものです」

「もういい。そなたは、私に勝った。だから、私から解き放とう」

甄氏の眼が、じっと曹丕を見つめてきた。決心したのだ。自分に言い聞かせた。男が一度、決心したことではないか。

「死を賜るのですね」

甄氏が、婉然とほほえんだ。

「私から解き放たれる、それが唯一の道だ」

曹丕は、用意していた短剣を膝の前に置き、立ちあがった。

理由など、あとでどうにでもつけられる。いや、人が勝手につける。帝が、死を与えた。それだけのことだ。

「別室で待つ」

部屋を出た。

しばらくして、侍女がふるえる手で短剣を持ってきた。

「これは？」

「書簡（しょかん）でございます。死後に陛下にお渡しするようにと、申しつけられました」

頷（うなず）き、短剣と書簡を手にとった。

終った。これで、すべてが終った。

曹丕は、侍女の泣き声を背にして、立ちあがり、表の居室へ行った。

血は拭（ぬぐ）ってあったが、短剣にはかすかな曇りがあった。それを、放（ほう）り投げた。

紙に書かれた書簡を開いた。長いもので、死を命じられることを悟っていたのだろう。流麗（りゅうれい）な字だった。

書かれたことを読みながら、曹丕の気持は暗い穴に落ちたようになった。曹丕に対する思いが、連綿と書き連（つ）らねてあったのだ。愛憎という言葉が、何度も出てきた。皿を伏せるように、どこかでなにかひとつが裏返れば、憎は愛に変った。そのひとつを、捜し続けてきた。一枚の皿さえ裏返れば、限りない愛情を抱くことができただろう。いまは、その一枚の皿が死である、と信じられるようになった。だから、曹丕への限りない愛情を抱いて、死んでいくことができる。

そういう意味のことが、書き連ねてあった。字に乱れもなく、穏やかな文章だった。

「愛していただと」

呟いた。低い呻きのように、自分の耳にそれが届いた。

その日、曹丕は表の居室から一歩も出なかった。従者の出入りも、禁じた。

翌日になって、曹丕は大広間へ出た。

「死を、与えた」

ひと言だけ言い、また居室へ戻った。

正室の死である。銅雀台の中は人の動きが激しいようだが、居室の周辺だけ、別の世界のように静まりかえっている。

甄氏の手紙を、曹丕は何度も読み返した。死を肯んじた時の、婉然としたほほえみが浮かんでくる。皿一枚。死以外の皿は、ほんとうになかったのか。

「陛下、少しでもなにかお召しあがりになりますよう」

陳羣が入ってきて、小声で言った。

男と女とはなんなのだ。陳羣にむかってそう言いそうになり、曹丕は言葉を呑みこんだ。陳羣には、あまり縁のなさそうなことだ。

曹丕は、翌日も部屋から出なかった。

帝から死を賜った場合、葬儀はどうすべきかという話し合いが、何度もくり返されているようだった。

一字一句をはっきりと憶えてしまうまで、曹丕は甄氏の手紙をくり返し読んだ。何度も、涙が溢れそうになったが、泣かなかった。眼を閉じると、後悔が襲ってくる。

この書簡は、甄氏の復讐ではないのか。そう思ったのは、三日目の夜だ。曹丕の心に、癒し難い傷を残して死んでいく。それは、愛していたという、ひと言でいいのだ。

復讐だったのだと自分に言い聞かせることで、曹丕は少しずつ立ち直った。最後の、死をかけた復讐。それほど、自分を憎んでいたのだ。それがほんとうかどうかわからないにしろ、自分はそう信じて生きるべきだ。でなければ、死を与える決心をした意味もない。

女は、信用できない。

それでいいのだ。あらゆる女を、ものとして扱い、むけられる愛情は、作り笑いのようなものだと思うことだ。

四日目に、大広間に出た。

「罪を問うて、死を与えたわけではない。しかし、それなりの理由はある。葬儀は、鄴で簡略にいたせ。喪は発せぬ」

いままで議論されていたことが、それですべて解決したようだった。

曹丕は、洛陽への帰還の日程を、陳羣に立てさせた。輿車など、もうごめんである。馬で帰ると命じた。

司馬懿が、五千の軍を連れて、兗州から到着した。

甄氏に死を与えたことについては、司馬懿もなにも言わない。ただ曹植が、国替えで青州を出たという報告をしただけである。

曹丕は、ようやく食事も普通に摂れるようになっていた。

「いよいよ、呉蜀の戦ですな」

司馬懿と陳羣で、食卓を囲んだ。

「呉が、張飛の暗殺に失敗した、という話を、陛下は御存知ですか？」

司馬懿が言った。陳羣も初耳だったらしく、箸を置いた。

「致死軍を使ったのか？」

「さすがに、陛下にはその情報が入っておりましたか。数十名の手練れが、瞬時に打ち殺されたという話です」

「張飛の豪勇は聞いておるが、呉がそこまでやるとはな」

「騎馬隊一万が、大変な力を持っているようです。張遼将軍の軽騎兵に匹敵するような」

張遼より上だろう、と曹丕は思っていた。それに張遼の軽騎兵は二千だ。

「劉備自身か、諸葛亮の首を狙いそうなものだが、張飛さえ潰せば、蜀軍は力を失うと思ったのかな？」

「それはあり得ます。あの軍は、長く豪勇無双の将軍に支えられてきたのですから。張飛を殺せば、残るは趙雲ひとり」

「それよりも、呉という国が心配です、陛下」

陳羣が口を挟んだ。

「平然と同盟は破る。暗殺は企てる。孫権に信義という言葉はないように思えます」

「違うな、陳羣。孫権には、信義が必要ではないのだ。なぜなら、天下を狙っていないからだ。だから、実だけを取る。それでいいと割り切っているのだろう」

「張昭でしょうな、裏で動いているのは。諸葛瑾にできるとは思えませんし」

「陸遜という将軍は、どうなのだ、司馬懿？」

「それが、まだわからないのです、陛下。呉は、周瑜をはじめ、魯粛、呂蒙と、有力な将軍を次々に失っております。陸遜の実力を、呉でも測りかねているのだと、私は思います。だから、張昭が謀略に動くのです」

陳羣が頷いた。

実績のある者しか、信用しない。孫権のそういうところは、自分に似ていると曹丕は思った。軍人は、ひらめきのようなものに頼ることがあり、それが才能だったりもするが、文官は出てきた数字を大事にする。

「陛下、呉の恭順の態度は、あまり信用なされない方がよいと思います」

陳羣は、ずっと呉に対する不信を会議でも強調していた。

「恭順は、受け入れる。それが見せかけであろうとな。見せかけが、本物の恭順にならざるを得ないようにしてしまえばいいのだ」

「謀略が、心配です」

「警戒を怠らなければよい」

こういう話をしていると、いくらか気が紛れた。

銅雀台も、もう普段通りになっている。

「甄氏に、死を与えた」

庭で二人になった時に、曹丕は司馬懿に言った。

「陛下のお気持は、お察しいたします。時が解決する、というお心になっていただければと思います」

「時か」

そういう心持ちに、曹丕はなりつつあった。決心し、実行した。甄氏との闘争では負けたにしろ、自分との闘いには勝ったのだ。

書簡も、焼き捨てたりはしていない。

一年後に、もう一度じっくり読み返してみようと思っていた。

3

自分が抑えられなかった、というのではない。抑えようとさえしなかった。

兵が二人、はらわたをはみ出させて、死んでいる。張飛は、蛇矛の先にちょっと眼をやった。大きな誤りをした兵ではなかった。命令を聞き違え、束の間隊列を乱しただけだった。それを見て、張飛の蛇矛は動いていた。

た。

陳礼が、すさまじい形相で駈けてくると、整列して凍りついている兵に声をあげた。

「なぜ、この二人が死んだかわかるか。命令を聞き違えた。実戦では、それが命取りになる。いいか、忘れるな。おまえたち。戦場では、死ぬと思っても、命令通りに動け。そうすれば、逆に死なないものだ。命令は、絶対だ。躰で反応するようにしておけ」

陳礼は、張飛がやったことに、必死で正当な理由をつけようとしていた。自分が、ほとんど気紛れのように、隊列を乱した者に蛇矛を振るったという意識しか、張飛にはなかった。

「この二人は、いままでの厳しい調練に耐えながら、戦を前にして死んだ。私は、残念だ。死ぬならば、戦で死ね。それが、まことの兵というものだ。私はこの二人の死を悲しむが、おまえたちにはこういう死に方を禁ずる。よいな。実戦はそこまで迫っているのだ」

「もうよい、陳礼」

張飛は言った。自分がやったことを、これ以上正当なものにしたくはなかった。手が動いた。それだけなのだ。

「俺は丘の上で見ている。交錯進軍の調練に移れ」

十列縦隊で進む騎馬隊が、ひとつのかけ声で、位置をひとつ入れ替る。つまり九度のかけ声で、右端を進んでいた者が、左端を進むようになる。簡単そうだが単調で、緊張感を失った兵は、隊列を乱す。

もともと、孫権の父である孫堅が採用した、騎馬隊のための調練と言われていた。南船北馬と言うが、孫堅の時代は、荊州の南にも強力な騎馬隊がいた。

従者五人で、張飛は丘に駈けあがった。逃げるような気持だった。これ以上調練の指揮を続けると、何人の兵を殺してしまうか、自分でもわからないという恐怖感があった。ここまで調練に耐えてきた兵が、いま死ななければならないという理由は、なにもない。

交錯進軍がはじまった。兵たちの緊張が、丘の上まで伝わってくるほどだった。遠くでは、歩兵が六段攻めの調練をしている。校尉たちの動きは、きびきびしていた。

閬中の館に戻ると、張飛はすぐに陳礼を呼んだ。

「俺がやったことは、おかしかったか、陳礼？」

「あの二人の兵は、隊伍を乱しました」

「それぐらいのことで、打ち殺した。これはやはりおかしいな」

「以前の張飛(ちょうひ)様なら、怒鳴られただけだろうと思います。閬中滞陣(ろうちゅうたいじん)が長くなり、苛(いら)立(だ)っておられるようにお見受けします。あの二人は、いままで苦しい調練に耐えてきた者たちです」

「だったら、命令を聞き違えてもいいのか？」

自分が、考えていることとは違うことを言いはじめているのに、張飛は気づいた。このままでは、陳礼(ちんれい)をひどく傷つけることまで言ってしまいそうだった。

「もういい、退(さ)がれ、陳礼」

「張飛様、私は張飛様の調練の厳しさが、戦場で兵を死なせないためだということは、よく知っています。兵たちも、知っています。二人のことは、気になさらない方がよろしいと思います」

「気にしてはいない」

なんとか、ひどいことは言わずに済みそうだった。このところ、感情の起伏が短い周期で襲(おそ)ってくる。

「酒を、控えていただけませんか、張飛様。昨夜も、三斗（約六リットル）は飲まれたと聞きましたし」

「もういい、陳礼。おまえには、ずいぶんと苦労をかけているようだな」

「私が、ひとりの男としてこうして立っていられるのは、張飛様に鍛え抜かれたおかげです。苦労などとは、とんでもないことです」

喋るのが面倒になり、張飛はちょっと手で払うような仕草をした。陳礼が部屋を出ていった。

しばらく、張飛は自分の手を見つめていた。

それから、ひとりで具足を解いた。このところ、従者に躰を触れられると、ひどく不愉快になることがある。

俺は老いたのだろうか。ふと、そう思った。髭に白いものが混じっているのは知っているが、見えないので気にならない。しかし、胸毛にも数本白いものがあった。確かに、若いころのような元気はなくなった。しかし、ここぞという時の力は、若いころよりむしろ強くなったような気がする。

招揺もそうだった。若いころのように、跳ねるような駈け方はしなくなった。静かに駈ける、という感じだ。しかし、鞭をくれた時は、招影よりも速い。

洗いたての軍袍に着替えた。何景という女が、食事や酒だけでなく、そういう世話までするようになったのだ。若い下女は、張飛が蛇矛でまた打ち殺すのではないかと、怖がっているようだった。酒や料理を、部屋の前まで運んでくるだけである。

張飛は、一昨日届いた竹簡（竹に書いた書簡）をまた取り出して、読みはじめた。劉備からである。

早く戦がしたいということと、孫権を討ち、次に魏に攻め入ったら、白狼山までひた駈けようと書いてあった。成玄固と洪紀がいる。成玄固は変りないようだが、劉備軍にずっと馬を供給し続けていた洪紀が、病なのだという。洪紀が生きている間に、河北まで制圧してしまうのだ、とも書いてあった。

何度も、くり返し読んでいるので、諳んじている。ただ、劉備の字が懐かしかった。

「白狼山か」

張飛は呟いた。遠い北の果てだ。

「招揺なら、ひと駈けではないか」

自分の声。独り言が多くなった。

「御酒でございますか？」

何景が顔を出して言った。声を聞きつけたのだろう。

「焼いた肉もだ」

洪紀の病はひどいのだろうか、と張飛は思った。もう六十ぐらいになっている。馬が好きで、馬と暮してきたような人生だったのだろう。鍛冶屋の娘と結婚できることになって、浮かれていた。その鍛冶屋は、涿県を出る時に、劉備の剣を、関羽の青竜偃月刀を、そして自分の蛇矛を打ってくれた。

何景が、酒の瓶を運んできた。肉の皿を持った下女が、部屋の外に立っている。何景は大杯に酒を注ぐと、肉の皿を受け取って持ってきた。

「将軍様、野菜もございますが、持ってこさせましょうか？」

「いらん。俺は肉でいいのだ。肉を食って躰を作り、力を養ってきた」

頷き、何景が出ていく。なぜか、何景には腹が立ったりせず、しばらく喋ったりすることもある。小柄だが、尻と胸が大きかった。身なりは質素で、浅黒い肌には化粧などはしていない。躰の大きさがまるで違うし、顔も似てはいないのに、張飛は時々何景を見て董香を思い出し、はっとしたりするのだった。

一斗の酒は、すぐになくなった。

声をあげると、何景がすぐに瓶を抱えてくる。この女は、いつも張飛の顔に眼をむけていて、そらそうとしない。張飛がなにを望んでいるか、表情から読みとろうとしているようだった。だから、腹が立たないのかもしれない。

「閬中の生まれだと言っていたな」

「と申しましても、ずっと郊外の小さな村です」

「家族は？」

「息子がひとり。主人は若いころに亡くなりました」

「そうか、若いころにか。息子は、いくつになっている？」

「十歳でございます。学問をさせたいのに、暴れてばかりいる子です」

「男は、それぐらいがいい。俺は、そういう子供の方が好きだな」

「将軍様も、そういう子供であられたのでしょう」

何景が笑う。浅黒い肌に、白い歯が印象的だった。

「酒は飲めるか？」

「はい」

「なら、ここで一緒に飲め。ひとりで飲むと、どうも気が塞いでしまうようだ」

小さな杯で、何景は酒を飲みはじめた。かなり強いのだろう。飲み方に逡巡はなかった。

董香は、酒が強かった。どれほど飲もうと乱れず、張飛がたまらず横たわると、必ず膝を枕にさせてくれた。鼾をかいて眠るまで、じっと動かないのだ。

「俺も、女房を亡くした」

「そうでございましたか」

「いや、そんな話はよそう。湿っぽい気分になる。それより、おまえ、俺が怖くはないのか？」

「少しは、こわいという気持がございます。でも、前ほどではなくなりました」

何景は、じっと張飛を見つめている。張飛は、かすかにたじろぐような気分になった。

「おまえの亭主は、なんで死んだ？」

「病でございました。無理に無理を重ねてしまったのです。男が思いこむと、女に止められるものではございません」

二つ目の瓶が空になった。

「酒だ。しかし、おまえは強いな」

何景が、新しい瓶を持ってきた。

「将軍様は、ほんとうは御酒がお好きではないのですね」

「これほど飲んでいるのにか」

「どこか、悲しそうに飲んでおられます。お好きなら、もっと愉しそうに飲まれるはずですわ」

「酒がある。だから飲んでいる。愉しんで飲んだこともあった」

杯を重ねた。

何景は、まったく乱れない。ただ、眼が不思議な光を帯びてきた。そして張飛の、顔ではなく眼を見つめてきている、という気がした。

なにか、話をしていた。質問をしたり、受け答えをしたりしている。しかし、内容はほとんど張飛の頭に残っていなかった。

四つ目の瓶を、何景が運んできた。

じっと眼を合わせ、そらそうとしない。

「香々」

不意に、董香と飲んでいるような気分に、張飛は襲われた。

「はい」

「なぜ、返事をする。おまえは、香々ではあるまい？」

「名を呼んで、返事をして欲しいと将軍様が思っておられるのではないかと」

「そうか、香々」

「はい」

張飛は、何景の手を取り、引き寄せた。乳房を着物の上から揉みしだく。

「大きいな。そしてやわらかい」

「直に触るものですわ、胸は」

手が、着物の中に引き入れられた。吸いついてくるような肌だった。

董香の乳房に、よく長い時間手を置いていたものだった。いつも、そのやわらかさが張飛のなにかを救った。触れていて、飽きることがなかった。触れようとして、嫌がられたこともない。

張飛は、何景の躰を抱きあげ、寝台まで運んだ。

「香々」

「はい」

ほんとうに、董香のような気がしてきた。

口を吸い合う。董香は、いつも張飛が痛いと感じるほど、強く吸ったものだった。裸にした。腿の内側にまで生え拡がっている陰毛。それはなかった。あるわけがない。董香ではないのだ。

それでも張飛は、何景を董香だと思いこもうとした。

董香だった。精を放つ瞬間は、間違いなく董香だった。

翌朝、顔を合わせても、何景は何景だった。いつもと同じように、張飛の顔をじっと見て表情を読み取ろうとするが、それ以上に狎々しくしてくるわけでもない。

調練に出た。

張飛自身が騎馬隊を率い、歩兵を断ち割っていくという調練をやった。動きはいい。みんな、自分がなにをしなければならないのか、よくわかっていた。

館へ帰った。

「張飛様が指揮をされると、兵の動きが違います。話に聞く呂布将軍の騎馬隊もかくや、と私は思いました」

陳礼は嬉しそうだった。いつもの張飛に戻った、と感じたのだろう。

呂布の騎馬隊には及ばない。ただ、あれは精選した五百頭の馬で、それ以上に増えることはなかった。張飛の騎馬隊は、一万騎である。分散して動く時も、一千騎単位だった。

一万騎の中から五百騎を選りすぐって、半年調練すれば、呂布の騎馬隊と比肩するものが作れるという自信が、張飛にはあった。

「兵には、たまに酒でも与えてやりたいと思うのですが」

「こう調練ばかりではな。おまえの裁量に任せよう、陳礼」

「張飛様は、飲みすぎになりませんよう」

そう言われても、腹は立たなかった。

次の日も、その次の日も、張飛は感情の起伏に襲われることはなかった。ただ、夜になると、やはり酒を求めた。そして、董香（とうこう）も求めた。何景は、三斗で董香になったが、やがてそれが二斗になり、一斗とちょっと飲んだだけでも、董香になった。

蒸暑い夜が続くようになっていた。何景は、あまり汗をかかない。張飛の汗で濡（ぬ）れて、浅黒い肌を灯の下で輝かせた。

董香は死んだのだ。それは、わかりすぎるほど、わかっている。しかし、幻でもいい。張飛は董香が欲しかった。

何景が狎々しくしてくれれば、張飛は一度で遠ざけただろう。何景は、いつも何景で、特に変ることはなかった。

「香々（こうこう）」

張飛がそう呼んだ瞬間から、何景は返事をし、そして董香になっていく。

4

成都からの急使が到着した。

待ちに待った、出動命令だった。

張飛は、館の一室に陳礼以下の校尉百二十名を集め、進軍の順番から、伝令の符牒まで細かく決めた。

「明後日の、出動命令である。明日一日、伝令だけは調練をせよ。ほかの兵は休ませるがいい。明後日からは、休みはない」

速やかに白帝にむかい、東進して巫城を抜き、できるかぎり敵を潰す。秭帰の近辺まで進出するのが理想だが、無理はしない。成都を進発する劉備の軍は十日以上遅れるが、それまで抜いた敵陣は死守。明解な命令だった。軍人が、最も動きやすい命令と言っていい。

劉備の本隊が遅れる理由も、きちんと記されていた。国境周辺の異民族を、味方につける。そのために、先鋒がある程度の戦果をあげ、それを材料に説得をする。先鋒がここまでやっている。これで劉備の本隊が到着すれば、どういうことになるか。それを実感させるための、本隊の遅れだという。

「孔明殿も、いざとなると慎しやかだな。願わくは秭帰の近辺までと書いてある」

「秭帰どころか、夷陵までわれらは奪えます、張飛将軍」

校尉のひとりが言った。やれば、やれる。張飛はそう思った。しかし、眼先の勝利にこだわると、肝心なところで破綻するのが戦というやつだ。ここは、孔明の指示する通りに動くべきだった。

江陵を奪り、武昌に進んで孫権の首を取る。それが、この戦の第一の目的なのだ。秭帰を奪れるかどうか、ということではない。

「喪章を用意させよ、陳礼。兵の全員がそれを付けて、この戦が弔いのためだということを、呉軍にわからせてやるのだ」

兵にとっては、関羽の弔い、張飛にとっても同じだが、同時に董香への弔い。

陳礼が、進軍のための細かい指図をはじめた。張飛は、腕を組み、黙ってそれを聞いていた。陳礼は、すでに将軍としての実力をしっかり持っている。

散会すると、張飛は自分の居室に戻り、蛇矛の手入れをした。これを待っていた。この蛇矛は、孫権の首を取るためにあるのだ。

董香の陰毛の束。戦場での守りになるように、董香が自身で抜いて作ったものだ。

張飛は、それを首にかけた。

厩へ行き、招揺と招影のそばに立った。二頭はよく似ているが、招揺の方がいくらか躰が大きい。ほかの馬の中では、際立っていた。

「戦だぞ、おまえたち。父親は息子に、息子は父親に、負けないようにしろ」

二頭の首筋を、一度ずつ叩いた。

それから張飛は、夕刻まで部屋でじっとしていた。戦を前にした時の、血の騒ぎはない。むしろ、沈んでいた。指揮官として、やるべきことはやった。

「酒だ」

張飛は大声を出した。

すぐに、何景が瓶を運んでくる。

「御出陣だと聞きましたが」

「明後日。明日から、俺は酒を断つ」

張飛は、酒を飲みはじめた。高揚した気分は、まったくなかった。むしろ、飲めば飲むほど、沈みこんでいく気がする。

「肉は、もういらん。何景、こっちへ来い。肴はおまえの躰でいい」

何景を抱けば、気持も変る。しかし、抱けるのは何景が董香になってからだ。

何景の眼が、張飛を見つめてくる。この眼の光は、いつ見ても不思議だった。光のむこう側に、まだなにかあった。それが、時々たまらなく蠱惑的なものに思える。さらに覗きこもうとすると、それは消えてしまうのだ。

何景の胸を揉みながら、張飛は酒を飲み続けた。大きく、やわらかい。しかし、董香はまだ蘇ってこない。

何景が、一度立って新しい瓶を運んできた。身繕いをして出て行き、張飛の前に来ると当たり前のように胸をはだける。年齢の割りには、形のいい乳房だった。

董香は、まだ現われなかった。張飛は眼を閉じた。董香は死んだのだ。そう思う。しかし、現われたと思える束の間の時がある。それだけを求めて、酒を飲み続ける。

「将軍様」

「なんだ？」

「私に、唾をいただけませぬか？」

「唾を。なぜだ？」

「欲しいのです。将軍様の唾を飲んでおきたいのです。私の唾を飲んでください、とは申しあげません。唇も触れないように、お受けしますから」

「そんなことは、どうでもいい。あとで口吸いをする時に、流しこんでやろう」

何景の眼が、張飛を見つめてくる。

「やはり、私が董香様にならなければ、駄目なのですね」

張飛は、乳房から手を放して、何景の顔を見た。不思議な眼の光が、張飛を吸いこんでしまいそうだった。

「そんなことはないぞ」

言って、張飛は何景の唇に口を押しつけた。舌を絡ませながら、唾を流しこむ。音をたてて、何景はそれを飲んだ。

「俺も、おまえの唾が飲みたい」

「そんな」

「何景の唾を飲んでみたい」

口を押しつけた。激しい勢いで、何景の舌が張飛の口の中に押しこまれてきた。唾。流れこんでくる。飲んだ。唾とはこんな味がするものか、と張飛は思った。自分の唾には、味など感じない。

不意に、何景の躰に力が入り、跳び退った。眼を見開き、張飛を見つめている。口が割れ、それが笑ったのだということが、しばらくして張飛にはわかった。

「やったぞ」

何景が叫ぶ。

「私はやった。おまえは死ぬのだ、張飛」

「なにをやった、何景？」

唾。味がした。しかし、唾だ。

「もはや、吐いても無駄だ。おまえは死ぬ。唾に毒を混ぜた私も死ぬ」

「そうか、死ぬのか」

張飛は、一度閉じた眼を、開いた。

いま死ぬわけではない。すでに、俺は死んでいた。多分、そうだ。だから、なんの実感もなかった。

「酒に混ぜた毒に、おまえはすぐ気づいた。酔っているところを襲（おそ）わせても、けだもののように反撃してくる。私の巫術（ふじゅつ）にも、惑うことがなかった」

「そうか、すべておまえか」

「抱かれている間さえ、隙（すき）を見つけられなかった。しかし、私はやった。私も死ぬが、おまえも死ぬ」

「相討ちだな」

ゆっくりと、張飛は立ちあがった。

何景が、指笛を鳴らした。男が二人、影のように現われた。短い剣。張飛は、蛇矛を摑んだ。二人とも打ち倒したが、思ったように躰は動いていなかった。脇腹に、剣が突き立っている。

「大きな男だった。壁のようだった。しかし、おまえは死ぬ、張飛翼徳」

「この剣、致死軍だな」

「そうだ、私の名は路幽。路恂の姉で、路輔の母だ。おまえを殺したら、路輔は列公に取り立てられる。当然なのだ。それだけの血を受けている」

「そうか。おまえも、死ぬのか」

路幽が、二、三歩退がった。

「息子のために、苦しい思いをしたのだな」

「息子の、父なる方のためでもある」

「ほう、誰なのだそれは？」

脇腹から、血が流れ続けていた。それに、いささか息が苦しい。

「周瑜公瑾様。路輔の父だ」

「あの周瑜将軍の息子か。心配するな、路幽。それなら、孫権はおろそかにするまい」

「列公に」

路幽の躰が、ぐらりと揺れた。張飛よりも先に、毒が効いてきたようだ。

「ひとりで死ぬのか、路幽？」

「おまえも、死ぬ」

「ならば、俺の腕の中に来い。俺は、おまえより少し長くもちそうだ。おまえが死ぬまで、抱きしめていてやろう」

「なぜ？」

「閬中で、俺が親しんだ女だからだ」

「董香として、私を最後まで抱くのか？」

「何景として、抱くのだ。おまえはもう、充分にやった。抱きしめられて死んでいく資格はある」

張飛は、路幽に歩み寄った。退がろうとして、路幽は膝を折りかかった。

「私は」

言ったが、抱き寄せても、路幽は抗おうとはしなかった。

「心配するな。おまえの方が先に死ぬだろうが、すぐに俺も死にそうだ」

腕の中で、小柄な路幽の躰がふるえていた。張飛は、かすかに腕に力をこめ、そのふるえを止めてやった。路幽の手が、張飛の軍袍を摑んでいる。

「気持を、楽にするのだ。死は、決してこわいものではない」

躰の中で、なにかが暴れはじめたような感じがあった。軍袍を摑んだ路幽の手に、異様な力が加わった。躰を、痙攣させたようだ。抱きしめた躰から、命が抜け出していくのが、張飛には、はっきりわかった。

気づくと、路幽を抱きしめたまま、倒れていた。まだ、死んでいない。死なないのではないか。ほとんど恐怖に近い気持で、張飛はそう思った。

躰の中で、またなにかが暴れた。俺の命が暴れているのだ、と張飛は思った。人並みはずれて、頑丈な躰だった。だから、命を閉じこめて、出ていかないようにしている。それも、長くはないだろう。

充分に生きた。思いはいくらも残っているが、力のかぎり生きた。喜び、悲しんだ。いい兄弟も、友も、そしていい妻もいた。

眠いような気がした。これが、多分死なのだ。

眠りに似ているではないか、と張飛は思った。

5

陳礼からの使者が到着した時、孔明は劉備や馬良と会議をしていた。

陳礼という名を聞いた瞬間、劉備は扇をとり落とした。孔明はただ、暗くどうにもならないものが、いきなりのしかかってくるような感じに襲われただけだ。

馬良ひとりが、怪訝な表情をしている。

「閬中から、なぜ陳礼殿の使者なのです」

「それは」

呟くように言い、劉備は立ちあがった。

「張飛が、死んだからだろう」

「なんと」

蒸暑い日だった。孔明は、劉備の表情だけを見ていた。

「使者をこれへ」

馬良が言っている。

劉備の視線は、宙をさまよっていた。手の先がふるえている。表情は、むしろ穏やかと言っていいのかもしれない。

使者が、連れてこられた。

毒殺、ということしかわからなかった。出撃命令をどうするのか、ということも問い合わせてきている。

劉備の顔色は白く、やはり表情は静かだった。

「張飛将軍が亡くなられたからには」

馬良が言ったが、劉備には聞えていないようだった。視線は、まだ宙をさまよっている。さらになにか言おうとした馬良を、孔明は止めた。

劉備が、ふらりと部屋を出ていった。追おうとした馬良を、やはり孔明は止めた。

「陛下は、なにをなされている」

しばらくして従者を呼び、そう訊いた。

「はい、剣の手入れをなされております」

「とにかく、出撃命令は取り消さねばなりません、孔明殿」

「待て、馬良。まず、江州の趙雲将軍に使者を立てろ。すぐに、成都へ来て貰うのだ。全軍の出動態勢は整っておるまい。麾下の兵だけでよい」

荊州進攻は、張飛の三万と、劉備の四万で行われることになっていた。趙雲の仕事は、白帝での後詰であり、第二次雍州進攻軍の総指揮である。蜀軍が江陵を奪回してからの白帝出撃で、今年じゅうは無理だろうと孔明は読んでいた。それは、劉備とも話し合っていたことだ。荊州の戦況によっては、大規模な援軍にも切り替えられる。

いかに張飛軍が精強であろうと、呉軍も決死の迎撃をしてくるはずだ。たとえ追い散らされたとしても、江陵に籠る準備もしているはずだった。

第二報、第三報が入ってきた。

毒殺は致死軍の手によるもので、下男や下女に紛れて、十名ほどが閬中に潜入していたようだった。

「やはり、呉による暗殺ですか」

「陛下は止められぬぞ、馬良。誰にも、止められぬ」

「それで、趙雲将軍を」

「せめて、趙雲殿が到着するまで、陛下の出撃をのばすのだ。それ以外に方法はない」

「関羽将軍に続いて、張飛将軍が呉の手によって殺された。陛下のお怒りは、確かにわかりますが、ここはすべてを一度中止すべきではないでしょうか。このまま作戦を実行していいほど、張飛将軍の存在は小さなものではありません」

「確かに、蜀にとって大きな存在だ。しかし、陛下の心の中ではもっと大きな存在だったのだ」

馬良がうつむき、黙りこんだ。

三人の兄弟のうちの、二人までが。孔明は、そう思った。劉備にはもう、孫権の首しか見えていないはずだ。北へむかう戦略など、これで消えてしまった。劉備はただ、呉にむかって駈けに駈ける。

人の思いと言っても、あの三人は特別だった。どれほどの思いを抱き合っていたかは、あの三人にしかわからない。

「趙雲将軍に、急使を出します」

馬良が出て行き、孔明は部屋の中でひとりになった。

「暗殺か」

声に出し、孔明は言った。

その危険性は、たえず考えていた。劉備の警固は厳重だったし、自分や馬良にも三十名がついているのだ。成都の城郭を出るとなると、それが二百名に増える。

孔明自身はそれを嫌っていたが、馬良が許そうとしなかった。暗殺をもっとも恐れていたのが馬良で、狙われるとしたら孔明だと考えていたようだ。

董香の死によって、張飛が狙われたことがはっきりした。しかし、あの張飛を、誰がどう守れたというのだ。

軍師としての、自分の失敗だろうか、と孔明は思った。孫権を暗殺する。もしくは、張昭か甘寧か陸遜を暗殺する。そういうことを考えても、すぐに頭の隅に押しやっていた。

暗殺で得た天下に、なんの意味があるのだ。

孫権も、孫策という兄を暗殺されている。暗殺の効果がどれほどのものか、身をもって知っているということなのか。

宮殿の中は人の動きで慌しかったが、孔明がいる部屋には、誰も入ってこようとしなかった。

「止めることは、できまい」

声に出して言い、孔明は腰をあげた。

兄弟の仇を討とうとするのが、劉備という男なのだ。それをやらなければ、劉備は劉備でなくなる。そしてそういう男だからこそ、自分は魅かれたのではないか。帝と国のありようなら、同じことを語れる人物はほかにもいただろう。

部屋を出ると、孔明は劉備の居室にむかって歩きはじめた。

なにも、考えることはできなかった。

張飛が、死んだ。関羽に続いて、もうひとりの兄弟も死んだ。

ひとりきりになったのだ。そう思った。ほかの誰が死のうと、たとえ孔明が死のうと、自分がひとりきりだとは感じないだろう、と劉備は思った。

気づくと、剣の手入れをしていた。

磨きあげられた刀身に、自分の顔が映っている。髭も髪も、白いものの方が多くなった。だが、心までは白くなっていない。馬を運ぶ仕事をやった。あの時、関羽と張飛に会ったのだ。不思議な出会いだった。そう言っていいだろう。しかし、あれこそが出会いだ。

自分は、あの時からなにも変っていない。少なくとも、関羽や張飛に対する思いは、なにひとつ変ってはいないのだ。関羽も張飛も、そうだっただろう。もう、大兄貴、小兄貴と、あのころのままの呼び方を、張飛はしていた。もう、大兄貴と呼ばれることもなくなった。兄上、と関羽が言うこともない。

怒りがあるのかどうか、劉備は自分でもよくわからなかった。叫び出したくなるような怒り、全身をふるわせる怒り、そういうものはない。心の芯になにか硬いものがあり、そして自分がなにをやるべきかということが、はっきり見えているだけだ。

自分がやるべきことが、これほどはっきり見えたというのは、いまだかつてないことだった。不思議なことだが、劉備は、自分がいまひどく充実していることに気づいた。益州を得た時よりも、漢中から曹操の大軍を打ち払った時よりも、劉備は充実していた。

館の中は、騒然としているようだった、人は宮殿と呼ぶが、劉備はここを館としか思ったことがない。恐らく、第二報、第三報と知らせが入っているだろう。劉備の耳に入れる必要があるものなら、誰かが呼びに来るはずだ。

剣を、磨き続けた。涿県を出た時は、この剣が一振りあっただけだ。しかし、関羽と張飛がそばにいた。三人が揃っていればこその、大志でもあったのだ。

筵を織って、それを売っていた。いくら大志を抱いて義勇軍に応募したとはいえ、関羽と張飛の二人がいなかったら、名もなく野に朽ち果てていたはずだ。

筵の織り方を、まだ覚えているだろうか、と劉備はふと思った。あれは、母から教えられたものだった。生業であり、筵を織っていたのを恥じたことは一度もない。

なにもかもが、懐かしさの中にあった。涿県郊外の楼桑村の粗末な家。庭の桑の木。裏に拡がった桃園。乱世でなければ、来る日も来る日も筵を織って、生涯を終えたのだろうか。それも人生だ、という気がする。

「孔明です」

声がかけられた。劉備は剣を鞘に収め、返事をした。

孔明が入ってくる。

「張飛殿が亡くなったいま、どうでもいいことかもしれませんが、手を下したのは、呉の致死軍の者たちでした。路恂という指揮官を失っても、まだ執拗に狙い続けていたのでしょう。恐るべき執念です」

「張飛には、どこかやさしさがあった。それにつけこまれたのかもしれん」

二度、竹簡を持たせた。短い、ぶっきらぼうな返事が返ってきて、苦笑したものだった。

「孔明、使者を立てよ。閬中にだ。即刻出撃せよと」

「殿」

「これぱかりは、孔明にも止めて欲しくないのだ」

「わかっております。殿をお止めできるとは思っておりません。しかし」

孔明が劉備を陛下と呼ぶのは、ほかの者がいる時だ。二人きりの時は、以前のように殿と呼ぶ。張飛は、大兄貴と呼んでいた。

「しかし、殿。趙雲殿の到着をお待ちください。すでに、使者を出しております。単身でも、趙雲殿は駈けつけてこられるはずです」

「必要はない、孔明。出撃が数日遅れる。それだけのことだ」

「張飛軍の指揮を、せめて趙雲殿に」

「張飛軍は、張飛が指揮を執る。張飛の霊が」

「そんなことは」

「もう言うな、孔明。私には、指揮を執る張飛の姿が見える。副官の陳礼も、ぴたりと横についている」

孔明がうつむいた。めずらしく、額に汗の粒を浮かべている。

「先遣隊が、白帝から攻めこめるところまで攻めこむ。殿の本隊はまず白帝に本陣を置き、先遣隊が確保したところを、長江沿いに進む。この当初の作戦通りの戦を、おやりになるのですね？」

「張飛とともにやる戦だった。だからその通りに私は闘う。心配するな、孔明。無理はせぬ。戦だからな。しかし、武昌を攻める。必ずや、孫権を討ち果す」

「私も、同道いたします」

「ならぬ。おまえが成都にいなければ、なにも動かなくなってしまう。蜀軍は、成都からの兵站が頼りになるのだぞ」

「長い戦になる、と見ておられますか」

「今年じゅうに攻めこめるところまで、攻めてみよう。冬は、山の雪が多い。来年の春に、夷陵を抜く。それからは、江陵、武昌まで一気呵成に。そういう戦をしようと、私は決めている」

兵糧の状況も、やはり今年の収穫を待った方が安定する。劉備は、冷静にそう考えていた。

「私は、成都に残ります。丞相としての役目を、しっかり果します。馬良は、伴っていただけますか？」

「侍中（秘書官）として伴う。はじめから決めていたことだ」

「わかりました」

孔明の額に、めずらしく汗の粒が浮いていた。それがひと筋ふた筋、頰の方へ流れ落ちた。まるで涙のように見える。

「白帝の兵糧は来年の春までです。ただ、今年の収穫は江州に集まりつつあり、船で白帝へ運びます。後方の憂いは、この孔明がいるかぎり」

「もっと、強く止められると思っていた」

「殿は、この戦をなさるべきなのでしょう。この蜀においてただひとり、殿だけはなされなければならない戦なのだと、私もはっきりわかりました」

一礼し、孔明は部屋を出て行った。


馬良が、赤い顔をしていた。役人に、大声で指示を出している。

孔明の姿を見ると、馬良は立ちあがり、丞相の執務室へ付いてきた。汗を拭い、肩で大きく一度息をした。

「出撃は、いつですか？」

「四、五日のうちであろう」

止めることができない。それは馬良にもわかっているのだろう。白い眉を、馬良は盛んに擦っていた。

「戦は、じっくりとなされるつもりのようだ。今年じゅうに江陵攻めなど、考えておられぬ」

「そうですか。私は、従軍いたします。陛下がなんと言われようと」

「陛下も、そのつもりでおられる」

「勝てますか？」

「問題は、夷陵までだ。夷陵を抜けば、張飛軍の騎馬隊が十二分に動ける。呉軍の騎馬隊と較べたら、二段も三段も力が上だ」

夷陵までは山岳部で、平坦な道はあまりない。長江沿いに進むということは、谷底を進むのと同じだった。

「先鋒か」

「陳礼ですか。指揮官としての力は、なかなかのものだ、と聞いておりますが」

「なかなかどころか、卓越しておる。しかし、それが心配でもある。長江沿いに進めば、ただでさえ行軍はのびる。陳礼が、破竹の勢いで進んだら、それだけ本隊との距離も拡がる」

「しかし、それだけの勢いがあれば、夷陵を一気に抜けるかもしれません」

孔明は、迷っていた。陳礼は若いが、関羽、張飛、趙雲という男たちに、手塩にかけられたのだ。

代り得るとすれば、馬超だけだ。成都には誰もいない。しかし馬超は、陳礼にやらせろと言うだろう。白水関まで孔明が説得に行くには、時がかかりすぎる。

「陳礼に任せよう。すぐに、出撃命令を届けよ、馬良」

「大丈夫です、孔明殿。陳礼はやる、と私は信じています」

「おまえがいない間の職務は、馬謖にやらせる」

馬良が出ていっても、孔明はしばらくじっと動かずにいた。ひどく蒸暑い。こういう日は雨が降りそうだが、その気配もなかった。

祈るしかない。眼を閉じて、孔明はそう思った。

6

歩兵より一日早く、陳礼は白帝に到着した。

関羽に続いて、張飛が殺された。信じられないことが、ほんとうに起こっていた。しかも、殺したのが下女として入りこんでいた、致死軍の女だった。

館を閉鎖し、致死軍の者を四人、陳礼は見つけ出した。責めに責めて、女の名が路幽で、路恂の姉だということを訊き出した。

馬超が訪ねてきた時、閬中に隙がある、と言われた。それはおまえの隙だ、とも言われた。馬超は、なにかを感じたのだろう。

あの時、なぜもっと深く考えなかったのか。陳礼は、何度も歯嚙みをした。馬超に感じられるなにかは、確かにあったのだ。

出撃命令だけを、ただ待っていた。

それさえ届けば、張飛も躰から酒を抜いたはずだ。そして、張飛のもとで闘うことができた。

張飛は、路幽という女を抱きしめて、死んでいた。なぜそうなったのかは、わからない。脇腹にひとつ刺し傷があり、部屋には蛇矛で打たれたらしい屍体が二つ転がっていた。

張飛の死に顔は、不思議なほど穏やかだった。眠っているようにさえ見えた。抱きしめられた路幽も毒で死んでいたが、やはり表情は穏やかだった。それほど苦しまない毒だったのかもしれない。

張飛を守るのは、自分の仕事だった。豪傑の中の豪傑だったが、心の底にかぎりないやさしさを持っていた。張飛の家でしばらく暮したことのある自分は、誰よりもそれを知っている。

ほとんど、父親に抱くような感情を抱いていた、と言っていいだろう。董香が死んで、どれほど喪失感が大きかったのかも、陳礼には痛いほどわかった。酒で、すべてを紛らわせていたのだろうか。痛々しいような飲み方で、どうにも止めようはなかった。

それでも、自分が守ろうと思えば、死なせなくて済んだはずだ。食事も酒も、自分が運べばよかった。一度、夜中に女が襲った時から、同じ部屋で寝るべきだった。そういうことのすべてが、出撃命令を待つという一点で、おろそかになった。出撃命令さえ届けば、と陳礼は思い続けていたのだ。

いくら後悔してもし足りないが、そこからなにもはじまりはしなかった。

この戦は関羽将軍の弔い合戦ということになっていたが、陳礼にとっては、すべてが張飛への弔いになった。駈けに駈けて、必ず孫権の首を取る。それが自分にできるただひとつのことだ、と陳礼は思った。

白帝は、もう戦闘準備に入っていた。

王平が、敵の布陣の説明をする。斥候や間者を使って、調べ抜いたようだった。

「巫城から夷陵まで、全部が敵陣と考えた方がいいのですね、王平殿」

「そうです。ついこの間までは、巫城は前線基地に過ぎませんでしたが、兵も精鋭と交替しています。難しいのは、秭帰だろうと思います。兵力は二万。相当に強力な防衛線です。長江沿いの長い陣営の兵力を総合すれば、およそ五万。それに、夷陵に陸遜の本隊が五万ほどいます」

「秭帰の守将は、誰です？」

「朱然。巫城から夷陵までは、朱然の指揮下であろうと思われます」

陳礼は頷いた。すでに、頭の中には敵のことしかなかった。

「四万を率いて、陛下も成都を発たれています、陛下が到着されるまでに、城は落とされるのですね、陳礼殿？」

「秭帰を、抜こうと思います」

「それは、無理です。まさか、本気ではありますまい？」

「本気です」

「しかし」

「秭帰さえ奪っていれば、夷陵は眼と鼻の先。呉軍にも、大きな圧力をかけられます。わが張飛軍は、できないことをやるために、調練を重ねてきたのです」

王平は、しばらく考えこんでいた。

軍令は、できるかぎり東へ進み、冬を越せる陣営を構築すること、となっている。だが、秭帰までは進める。いや、進まなければならない。

「わかりました。私は白帝の守備が任務ですが、できることはなにかありますか？」

「山岳が多い地域です。山の道に詳しい者がいたら、貸していただけませんか？」

「うってつけの男がいます。沙摩柯と言い、山の部族です。張飛将軍に命を預けておりますので、裏切りの心配もありません」

「命を？」

「一騎討ちで打ち負かされたのです。それ以来、私の指揮下ということになっております。明日、呼んでおきます」

陳礼は、王平が嫌いではなかった。地味な軍人だが、やるべきことはきちんとやる。字が書けないという噂だったが、軍人は兵の指揮ができればいいのだ。

「で、いつ出撃されます？」

「三日後。明日には、歩兵も到着します」

「ひとつだけ申しあげてもよろしいですか、陳礼殿？」

「なんなりと」

「船では、闘われない方がいいと思います。一応の用意はありますが、さすが呉軍の船は精強です。速さがまるで違いますから。船は輜重の代りに使われるだけがよろしいと思います」

「張飛軍の本領は、原野戦です。御忠告は、ありがたくお受けしました」

営舎は整えられていた。

兵たちは、馬の世話をしていた。

出撃の日になった。

「わが張飛軍に、後退という言葉はない」

陳礼は、全軍を前にして言った。三万。これだけの軍を率いるのだと考えると、全身に粟を生じそうだった。

「闘って闘い抜く。馬が倒れたら、おのれの足で駈けよ。武器を失ったら、手が、口が武器だと思え。食らいついても、敵を倒すのだ。降伏は許すな。邪魔な者は、斬って長江に捨てよ。長江を、呉兵の血で赤く染めるぞ」

大きく、一度息をついた。

「出撃」

叫んだ。馬腹を蹴る。全軍が、一斉に動き出す。

すぐに、国境を越えた。巫城。眼の前にある。隘路だが、構わなかった。二列で、騎馬隊を突っこませる。守兵は三千。城外に出ていた一千ほどを、騎馬隊が揉み潰す。

歩兵を進ませた。城壁からの矢が多くなったからだ。楯に身を隠した歩兵が、城壁に取りつく。騎馬を側面に回した。川岸の方には一千ほどを進ませ、船にむかって火矢を放った。船が燃えあがる。城兵が逃げはじめた。

「逃げる者に構うな。進め」

騎馬隊で追い立てる。次の陣営は、土塁が築いてあるだけだった。蹴散らした。さらに次の陣営。柵。歩兵が進み、縄をかけては柵を引き倒す。すかさず、騎馬が突っこんで行く。呉軍は、総崩れの様相を呈しはじめた。一日で、五十里（約二十キロ）進んだ。

陽が落ち、野営に入った。

見張りは厳重にし、斥候を四方に出した。水上には、篝を載せた船を浮かべる。

陳礼の躰の中では、血が躍り狂っていた。射られようが斬られようが、絶対に死ぬことはない、という気がした。

校尉を集め、二日目の進撃の指示を出した。五十里の進撃ならば、歩兵にも負担はかからない。一日百里を、十日間駈け通す調練にも耐えてきた兵だ。

「とにかく、見つけ次第に船は焼け。武器、兵糧は、そのまま残していい。本隊が来る時に役に立つ」

手強い敵には、まだぶつかっていない。だから、兵の損耗もわずかなものだ。

「見張り以外は、眠れ。篝は絶やすな」

戦捷で、校尉たちも興奮していた。できるだけ冷静に、陳礼は指示を出した。

早朝に進発した。

王平が調べあげていた地形は、ほぼ完璧だった。隘路と、崖の下は注意して進んだ。四つの陣営を破り、八十里進んだ。

兵を休ませた。白帝から、兵糧の船が到着した。これからは、輜重の代りに、水上を船が随行してくる。

三日目は五十里進んだ。強敵は、まだ現われていない。

四日目。二つの陣営を破ると、秭帰の城だった。逃げてきた者も収容したのか、城の前に三万以上の敵が陣を組んでいた。城は、川と崖で二面を守られている恰好だった。堅城である。

歩兵を前に出し、騎馬を五隊に分けて後方に配した。城内の兵が一万というところか。士気も低くないと見えた。

一日、睨み合った。

どちらが先に突っかけるか。それを測り合っていた。秭帰は、この戦の要のひとつと言っていい。あまり時を置くと、夷陵からの援軍が到着しかねなかった。呉には、精強な水軍もある。

睨み合いの一日が過ぎると、お互いに夜襲を警戒する態勢に入った。

幕舎などは張らなかった。太い樹木の下に、『張』の旗を掲げたところが、本陣である。簡単な軍議が散会し、校尉たちはそれぞれの部隊に戻っていった。

本陣でひとりになった時、陳礼は不意に、言い様のない恐怖に襲われた。躰がふるえ、歯が鳴った。なんなのだ、これは。自問してみるが、答は出ない。こんなことでいいのか、と叱咤しても、ふるえは止まらない。

ここまで、夢中だった。躰の中の血の躍動が、すべて闘争にむかっていた。一日の睨み合いで、血が凍ったのだ。

そうとしか思えなかった。三万の精兵を、この自分が率いている。誰に指揮されることもない。すべて自分で決め、校尉も兵もそれに従って動く。

しかし、自分にそんな資格はあるのか。張飛の指示もなく、自分で動いた経験があるのか。

「張飛様」

ふるえながら、陳礼は呟いた。

食べ物にも水にも、口をつけられなかった。口に入れたとたんに、吐いてしまいそうだ。

これが、戦なのか。

張飛のもとで闘ってきたいままでの戦と、まるで違っていた。兵の配置は、陣立ては、敵の狙いは。考えれば考えるほど、わからなくなる。恐怖だけが募ってくる。

樹木の幹に寄りかかり、陳礼は膝を抱えた。

兵たちは眠っているが、一睡もできなかった。ここまで破竹の進撃ができたのは、実は敵の罠だったのではないか。精強な軍の前まで、むざむざおびき寄せられたのではないのか。

叫び声をあげそうになる自分を、陳礼は懸命に抑えた。

「張飛様」

知らず、また呟いていた。

明日には、敵の陣形は変っていて、身動きもできなくなっているのではないのか。勝てる。闘える。そういう気が、まったく起きてこなかった。負けることだけが、頭に浮かんでくる。

ふるえたまま、夜明けを迎えた。

水だけ飲んだ。

敵の陣形。きのうと変っていない。朝の霧が流れていた。陳礼は顔をあげ、『張』の旗を見あげた。それでも、ふるえは止まらなかった。

すっかり明るくなった。

敵陣から一騎出てきて、挑発をはじめた。

とっさに、陳礼は槍を摑むと、馬に跳び乗った。

駈ける。こんな恐怖の中にいるのなら、死んだ方がましだ、と思った。一騎討ちで、胸に戟を受ければ、それで死ねる。

敵も駈けてくる。見事に馬を乗りこなしていた。まだ、ふるえているのか。陳礼はそう思った。わからなかった。これは調練なのだ、と自分に言い聞かせた。調練では、張飛以外には負けたことがない。

敵。大きくなってくる。眼の光。顔。はっきり見えた。槍は低く構えろ。突く瞬間にあげろ。趙雲に、最初に教えられたことだ。槍は低く。槍は低く。ぶつかった。馬を反転させた時、敵の馬には誰も乗っていないことに気づいた。ひとり、うつぶせで地面に倒れている。

槍を差しあげ、陳礼は肚の底から雄叫びをあげた。

味方が、呼応して声をあげた。

とまっていた。躰のふるえ。もうない。再び、血が躰の中で暴れはじめている。
「陳礼様、一騎討ちなら、私たちが出ます。大将は、後方で指揮を執ってくださ
い」
自陣に駈け戻ると、校尉のひとりが言った。
「われらは、蜀軍の先鋒だ。張飛翼徳の軍だぞ。あんな敵と一日睨み合っていたの
も、ここまで駈けてきた兵を休ませるためだ」
陳礼は右手を挙げ、後方に配した騎馬隊を動かした。
「矢楯を出し、歩兵を進めろ。騎馬隊は、敵の左翼に攻めこむ」
騎馬隊がどちらから攻めこむか、昨夜の軍議では決めていなかった。決める必要
などない。決めるのは自分なのだ。
「一列の縦隊で突っこめ。そしてすぐに戻れ」
矢を避ける、最も効果的な攻撃だった。矢が少なくなった時、敵中を突っ切る。
五隊が二度ずつ攻撃した時、敵の矢は少なくなっていた。歩兵も、敵の前衛に肉
薄している。勝負の機。ここだと思った。はっきりと、陳礼にはその機が見えた。
「全軍、続け」
低く言い、陳礼は先頭で駈けはじめた。敵。三、四人を薙ぎ倒した。あとは、道

があいた。そこを駈け抜ける。一万騎の突撃だった。陳礼が敵陣を駈け抜けた時は、もう敵は総崩れになっていた。

「揉め、揉みあげろ」

敵が、城にむかって潰走していく。騎馬が縦横に駈け、歩兵が揉みあげるので、城門の方へ逃げおおせた敵はわずかだった。

「船を焼き払え。もう一隊は、残敵の掃討。容赦はするな」

再び、騎馬隊が動きはじめた。

「城攻めは待て。囲むだけでいい」

堅城である。それは、王平からも聞かされていた。

崖の上から、喊声があがった、何本もの縄を伝って、兵が城の中に降りている。沙摩柯に預け、山中を行軍してきていた一千の兵は、すでに到着していたようだ。

「よし、攻めろ」

陳礼は、大声を出した。

歩兵が、城壁に取りつこうとする。しかしその前に、城門が内側から開けられていた。前衛の騎馬隊が駈けこんでいく。軍船の溜りの方からは、火があがっていた。

勝った。

そう思った瞬間、全身から力が抜け、陳礼は馬から落ちそうになった。それから、背筋をのばす。二千騎だけは、周囲にとどめた。

やがて、城塔に『張』の旗が翻った。

ゆっくりと陳礼は進み、城に入った。川に面した城壁では、捕えられた敵兵が、首を落とされて川に捨てられている。

「川下に、夷陵に対する防衛線を二重に作れ。兵糧を運びこみ、営舎も整えろ。陛下が到着されるまで、この城を確保しなければならん。兵を休ませるのは、それからだ」

歩兵が、それぞれに動きはじめた。

各隊の副隊長が、損害の報告に来た。それは全部書きとめられている。聞いているかぎり、大きな損害は出ていない、と陳礼は思った。

「伝令」

五人が、陳礼の前に直立した。

「成都から進軍中の陛下の軍へ。わが隊は勝てり。巫城から敵陣をすべて殲滅。秭帰に到り、秭帰城を奪取。城を確保して陛下の御着到を待つ」

伝令が復唱し、馬に跳び乗った。

陳礼は、ひとりで城塔に登った。

長江が、眼下に拡がっている。頭上では、旗が翻っていた。

「張飛様」

呟いた。勝ちました。緒戦には、勝ちました。これからまた陛下の軍の先鋒として、江陵、武昌を攻め、必ずや孫権の首を取ります。

ふるえていた自分が、嘘のようだった。

「陳礼様」

呼ばれた。城塔の下で、校尉がひとり、沙摩柯を連れて立っていた。

「武功、第一」

沙摩柯にむかい、陳礼は声をあげた。

本書は、二〇〇二年三月に小社より時代小説文庫として刊行された
『三国志 十の巻 帝座の星』を改訂し、新装版として刊行しました。

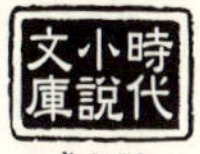

き 3-50

三国志(さんごくし) 十の巻 帝座の星(じゅうのまき ていざのほし) 新装版

著者 北方謙三(きたかたけんぞう)

2002年3月18日第一刷発行
2024年8月18日新装版第一刷発行

発行者 角川春樹

発行所 株式会社 角川春樹事務所
〒102-0074 東京都千代田区九段南2-1-30 イタリア文化会館

電話 03(3263)5247[編集] 03(3263)5881[営業]

印刷・製本 中央精版印刷株式会社

フォーマット・デザイン＆シンボルマーク 芦澤泰偉

ISBN978-4-7584-4658-7 C0193

http://www.kadokawaharuki.co.jp/[営業]
fanmail@kadokawaharuki.co.jp[編集] ご意見・ご感想をお寄せください。